MÉMOIRES
D'OUTRE-FRANCE

Gavin Bowd

MÉMOIRES D'OUTRE-FRANCE

ÉQUATEURS

« Qu'est-ce que je fais ici ? »

XIIIe arrondissement de Paris, janvier 2013.

Nous sommes réunis dans un appartement des Olympiades. Dehors, il fait déjà nuit. Comme panorama nous n'avons que les lumières du XIIIe arrondissement. Michel Houellebecq se concentre sur l'écran de son téléviseur et une bouteille d'absinthe : elle vit ses derniers moments. Les images sont retransmises d'un des nombreux conflits qui déchirent le Moyen-Orient.

—Y z'ont tué Osama ! ironise l'enfant terrible des Lettres françaises.

Finalement, j'entends des bruits en provenance de la cuisine. Michel n'est donc pas seul, malgré le départ de sa femme Marie-Pierre et la disparition de son corgi chéri, Clément. Une très jeune femme émerge, vêtue d'une minijupe noire et courtissime. Inès fait des études de lettres à la Sorbonne.

À table, l'alcool coule, en attendant une livraison de fruits de mer. Un ragoût d'agneau cuisiné maison leur succédera. Michel discourt sur sa première obsession, le prix Nobel de littérature. Les triomphes récents de Le Clézio et de Modiano risquent de faire capoter son grand rêve de consécration mondiale. Ayant dénombré les ennemis qui chercheraient à lui nuire, Michel se tourne vers sa deuxième obsession, qui ne lui vaudra certainement pas le prix Nobel de la paix :

— Je vais donner une interview où j'appellerai à une guerre civile pour éliminer l'islam de France. Je vais appeler à voter pour Marine Le Pen !

Inès objecte à ce ralliement politiquement incorrect qui semble gagner d'autres intellectuels parisiens jadis de gauche : Renaud Camus ou Robert Ménard... Michel répond du tac au tac :

— Le Front national n'est pas un parti d'extrême droite. Ce n'est pas Drumont. Ce n'est pas Daudet...

— Mais tous tes amis sont des gauchos bobos qui votent Mélenchon. Tu n'auras jamais le Nobel avec des propos pareils !

Après une demi-heure, la fée verte a disparu, cédant la place à une bouteille de côtes-du-rhône que j'ai portée depuis le faubourg Saint-Denis. Les fruits de mer arrivent enfin. Il y en a beaucoup.

Je remonte l'avenue de Choisy, devant les restaurants de Chinatown, vers la place d'Italie, en réfléchissant à cette rencontre avec un ami de vingt ans que j'ai découvert grâce au Parti communiste français. Comme Jean-Louis Aubert le chantera l'année suivante, je me demande : « Qu'est-ce que je fais ici ? » Comment sommes-nous passés du communisme au Front national, de la lutte contre le capitalisme à celle contre l'islam, à ce délire idéologique alimenté par l'absinthe ? Y aura-t-il cette interview, cet appel à voter Le Pen et à une guerre civile ? Je redescends dans la Ville lumière et, chemin faisant, dans ma mémoire.

I was a Teenage Stalinist

Mars 1981, Galashiels.

Il pleut à torrents sur la vallée du Gala, dans la région frontalière de l'Écosse. Dure et froide, c'est une pluie qui vous fait apprécier fauteuils, couettes, cheminées, et même salles de classe. Mais nous voilà sur le terrain de sport, pour deux heures d'éducation physique. Des corps à peine pubères se lancent férocement dans la mêlée. Les chairs se heurtent, tombent dans la boue et les flaques ; des cris jaillissent ; des corps gisent immobiles. Un ballon glissant est passé le long de la ligne. Et je suis là, au bout de la ligne. On m'a mis sur l'aile gauche — il n'en pourrait être autrement. Je suis trempé jusqu'à l'os, rêvant que cela finisse enfin. Et je m'en fous des insultes de mes coéquipiers, comme de l'ailier adverse qui a couru cinquante mètres pour amerrir sous les poteaux.

Ce soir-là, je me résous à adhérer aux Jeunesses communistes, ce que je fais grâce à Andrew « Potty » Scott, un ami depuis l'école primaire. Nous avons toujours été attirés par les organisations : nous avons constitué un fan-club du club de cricket de Leicestershire (où je suis né), avant de fonder le culte de *Shoeah*, où il s'agit de vénérer les chaussures et y sacrifier des bonbons à la menthe. Nous avons également un côté iconoclaste : dans les années soixante-dix nous avons séché les cours afin de rendre hommage à Mao Tsé-toung puis au rocker héroïnomane Marc Bolan. Nous écoutons également de la musique *indie* — surtout The Fall de Mark E. Smith — et mettons en commun notre argent de poche pour nous péter la gueule dans le parc municipal. Puis nous découpons un bulletin d'adhésion dans le quotidien communiste *Morning Star*, et l'envoyons au secrétaire général du Parti, à Londres.

Un matin, je reçois un paquet des Jeunesses communistes. Avec ma carte d'adhérent il y a le nouveau numéro de leur journal, *Challenge* :

« 1981 : année pour botter dehors les Tories[1] ! »

L'édito expose l'argument communiste :

« Comment sera l'année 1984 dans la Grande-Bretagne de Thatcher ? Y aura-t-il un service de santé, des écoles publiques, une industrie sidérurgique (ou même de l'industrie) ? Est-ce que les gens pourront encore s'offrir des téléviseurs couleur, des emprunts logement et des vacances à Majorque (peuvent-ils le faire maintenant ?) ? Quelles sont les intentions des

---

1. Les conservateurs.

jeunes communistes, demanderons-nous tous l'asile au Zimbabwe ? Et laisser Thatcher libre de continuer avec ses sales tours ? Vous devez plaisanter ! Sur tous les fronts la lutte s'intensifie. »

Challenge commence à me donner une idée de ce que serait le socialisme. Une nouvelle de science-fiction de Frank Chalmers, « Guide du routard alternatif de l'Univers », se termine sur une prophétie extraterrestre pour la Terre : « Les habitants ont des organisations pour changer la situation, et ils ont le pouvoir de le faire eux-mêmes. Comme vous le verrez, l'Histoire est de leur côté. Un jour ils auront aussi une société organisée et juste — comme la nôtre. » Dans un article plus théorique, « Socialisme », Doug, le frère de Frank, évoque une nouvelle société qui mettrait fin aux crises capitalistes de surproduction.

Je suis séduit par la simplicité et la lucidité de tout cela : il faut planifier pour sortir du chaos ; un gouvernement qui mettrait au pas les capitalistes chamaillant ; on remplacerait la mystification oppressive de la valeur d'échange par la générosité de la valeur d'usage. J'entre dans la cuisine, où ma mère est en train de charger la machine à laver.

— Maman, je viens d'adhérer aux Jeunesses communistes.

Elle s'arrête et me lance un regard étonné.

— Quoi ?

— Je viens d'adhérer aux Jeunesses communistes.

Je ris nerveusement. Elle commence à pleurer.

— Mais pourquoi ? Attends que ton père rentre à la maison !

C'est comme si on m'avait arrêté en train de voler à l'étalage (cela m'est déjà arrivé) ou dans son porte-monnaie.

Ce soir-là, papa m'attend dans le salon qu'il vient d'agrandir. Il parcourt la liste des objectifs des Jeunesses communistes imprimés sur la carte d'adhérent.

— Réaliser une Grande-Bretagne démocratique et socialiste. Qu'est-ce que ça veut dire ?

Je ne dis rien.

— Étudier, travailler et gagner les jeunes aux idées du socialisme et du communisme. Comment ?

Silence.

— Le bon d'adhésion affirme : « Le communisme, notre avenir. » Vraiment ?

Je ne dis rien et me mets à pleurer doucement. Je ne peux avancer un début d'explication. Papa est perdu dans une tirade amère contre le communisme. Ses parents avaient été des rouges, de vrais idéalistes, vendant le journal du Parti, se présentant régulièrement aux élections municipales pour des scores dérisoires. Puis ils avaient quitté le Parti lors de l'invasion soviétique de la Hongrie en 1956. Ce qui n'avait pas empêché mon père d'être persécuté pendant son service national. Pour papa, le communisme est un sujet très sensible.

Mais je n'abandonne pas et m'endurcis afin de

riposter aux questions agressives des camarades de classe. Au collège, Alison me demande :

— Gavin, tu es très intelligent et tu habites une belle maison. Pourquoi es-tu communiste ?

Quand j'étais plus petit, elle me laçait les chaussures. Elle a quatorze ans comme moi, mais se montre d'une condescendance atroce.

— C'est précisément parce que j'ai une once d'intelligence que je ne supporte pas la société dans laquelle nous vivons !

« Objectivement » il n'y a pas de bonne raison sociologique pour mon adhésion à l'avant-garde de la classe ouvrière. Mais soyons raisonnables. C'est l'année 1981. Un gouvernement conservateur est en train d'infliger à la Grande-Bretagne le credo monétariste de Milton Friedman qui a déjà dévasté le Chili de Pinochet. La déflation et les taux d'échange élevés ont démoli un tiers de l'industrie manufacturière. Le chômage vient de briser le plafond de verre des deux millions de demandeurs d'emploi. Dans le monde extérieur, une course aux armements est entamée par Ronald Reagan. L'Occident, couvert du sang d'un Vietnam crucifié, attaque hypocritement la présence de l'Armée rouge en Afghanistan. J'ai quatorze ans. Est-ce que je ne trouverai jamais un emploi ? Mourrai-je vierge ?

Par mon grand-père maternel, j'apprends davantage sur le passé radical de notre famille. Pendant nos longues promenades sur le chemin de fer abandonné, près de sa maison, il me raconte la vie de son frère aîné, Allan Eaglesham, qui a travaillé comme cadre du Komintern. Selon mon grand-père, il a milité sur la rive rouge de la Clyde de Glasgow pendant les années vingt, avant de partir pour Moscou et l'École Lénine. Ensuite, il a organisé la première grève des mineurs en Australie, d'où il a été déporté, puis le mouvement syndical en Nouvelle-Zélande, avant une nouvelle expulsion par les autorités. Allan termine ses jours, à l'âge de trente-quatre ans, en organisant les ouvriers des plantations de caoutchouc dans la Malaisie coloniale. Je suis presque certain que c'est le récit que mon grand-père m'a raconté. Et c'est un récit qui fait d'Allan une sorte de martyr et de modèle. Mon grand-père lui-même a été un radical pendant les années trente, plutôt proche du Parti travailliste indépendant de James Maxton dont la rhétorique l'avait enivré. Dans sa bibliothèque se trouvent, sentant le siècle, des titres comme *Mother Russia*, promettant d'électrifier les steppes, à dévorer avec le thé et les *drop scones* concoctés par ma grand-mère.

Mon camarade Potty quitte bientôt la scène. Après une tentative ratée de former une milice marxiste — nous devions attaquer l'agence locale de la Royal Bank of Scotland avant de saisir toute la ville —, il finit par vendre *An Phoblacht*, journal du Sinn Féin[1], arme politique de l'IRA, devant Celtic Park. Je suis

_____

1. Parti catholique de l'Irlande du Nord.

désormais le seul communiste à Galashiels Academy[1], avec la responsabilité d'expliquer aux non-croyants l'argument en faveur du communisme. Dans la cour de récré, les salles de classe et la bibliothèque, les camarades me posent des questions que j'apprends à esquiver et à parer.

— À l'Est, tout le monde doit faire la queue pour la nourriture. Comment justifier ça ?

— À l'Ouest, nous avons des queues de chômeurs. C'est pire.

— À l'Est, on vous met en taule si on n'est pas d'accord avec l'État.

— À l'Ouest, le pouvoir est entre les mains des riches. Il ne sert à rien de voter.

Est/Ouest : cela guide mes pensées. Il y a une course aux armements. On va installer des missiles de croisière en Grande-Bretagne ; certains stratèges croient une guerre nucléaire « gagnable ». Cette perspective alimente des cauchemars qui me laissent trempé de sueur et d'urine.

Sur ondes courtes, j'écoute Radio Moscou, Radio Prague et Radio Tirana (qui, contrairement aux autres stations, joue *L'Internationale* à la fin de chaque, brévissime, émission). À travers une précipitation de friture pointent des accents anglais et américains invraisemblables qui exposent les vertus de la paix et du socialisme. On nous rassure sur le succès du Plan

---

1. Une *high school* écossaise.

quinquennal. Pour ajouter un côté humain, il y a également des récits de parties de chasse dans les forêts sibériennes et les meilleures recettes russes. Chaque jour j'entends les cloches du Kremlin. Je simule la maladie afin de regarder en direct chez moi les funérailles de Brejnev et d'Andropov. Lors de celles-ci, David Owen, ancien ministre des Affaires étrangères, constate que ces cérémonies illustrent « la formidable stabilité du système soviétique ». C'est très rassurant. Il faut prendre contact avec ce monde. Grâce à une petite annonce dans le *Morning Star*, je trouve trois correspondantes est-allemandes : Inge, Iris et Silke.

France la rouge

Mais il n'y a pas que l'Est dans mon univers d'ado stalinien. Il y a la France. Bien sûr, il faut d'abord maîtriser les rudiments de la langue, appris dans notre manuel, *À la page* :

— Qui est Mimi ?

— Mimi est un chat.

— Où est Mimi ?

— Mimi est dans le jardin.

— Où est le frigo ?

Dans les années soixante-dix, pendant les vacances en famille, la France représente pour moi des choses peu politiques : parcourir en Citroën à folle vitesse des routes bordées de peupliers, manger du steak de cheval (délice barbare), être dérouté, voire dégoûté, par un artichaut ou une huître. Et il y a des magazines et des films qui font naître une curiosité masculine.

Mais bientôt, grâce au génie pédagogique de M. Rowlands, une autre France émerge. D'abord celle de Brassens et Brel (bien qu'il soit belge), puis celle de Baudelaire, Hugo, Rimbaud, Eluard et Prévert. Encouragé, je plonge dans cette littérature, que j'achète dans les librairies d'Édimbourg à l'aide de mon argent gagné comme livreur de journaux : Sartre, Malraux, Rousseau, Genet, et surtout Camus.

Constatant mon attirance inquiétante vers la littérature, la philosophie et la politique européennes, une prof d'anglais me recommande *La Peste* : « Les descriptions des pestiférés sont assez dégueulasses, mais ça vaut le coup. » Elle a raison. Ensuite, je trouve *L'Étranger* dans la bibliothèque de mes parents.

C'est un rayon de soleil éblouissant, un texte dont l'éclat ne s'expliquait pas seulement par l'extrême dureté du climat écossais. Moi aussi, je serais sorti avec la dactylo Marie au lendemain de l'enterrement de ma mère : « J'avais tout le ciel dans les yeux et il était bleu et doré. Sous ma nuque, je sentais le ventre de Marie battre doucement. Nous sommes restés longtemps sur la bouée, à moitié endormis. Quand le soleil est devenu trop fort, elle a plongé et je l'ai suivie. » Moi aussi, j'aurais accepté du café au lait du concierge de l'asile, parce qu'il « était bon ». J'aurais bu et dîné tous les jours chez Céleste et passé des heures au balcon à griller des cigarettes et contempler les jeunes Algérois. Et si l'on avait pointé un couteau sur moi, j'aurais tué mon assaillant à coups de revolver.

Assis en marge de la cour de récré de Galashiels Academy, vêtu en noir comme un terroriste de la bande à Baader-Meinhof, j'aime bien ce « monstre moral » que serait Meursault, selon le procureur. Ce « monsieur l'Antéchrist », taciturne, amoureux seulement du ciel et de la mer et des plis de la robe de Marie, ouvert enfin à la tendre indifférence du monde, m'apprend l'expression : « Cela m'est égal. »

J'approfondis ma connaissance de l'œuvre de Camus, la comparant avec d'autres nouveaux compagnons intellectuels... *L'Exil et le Royaume*, que mon père a rapporté de Paris, évoque l'austère beauté hivernale du paysage algérien et la tension à peine sous-jacente entre pieds-noirs et indigènes apparemment muets et anonymes. *L'Homme révolté* me fascine et me fâche à la fois : ses attaques contre les jacobins de l'An II me paraissent injustes. Et sa critique antitotalitaire du communisme suinte une hypocrisie occidentale qui refoule le fait colonial, entre autres crimes. Si Sartre et Camus sont les Lennon et McCartney de l'existentialisme français, je commence à préférer Sartre sur le plan politique, au nom de... Lénine.

Une petite étude critique de Camus aggrave ce désamour. L'Irlandais Conor Cruise O'Brien démantèle la mystification coloniale qu'on trouverait chez notre auteur. Pourquoi les Arabes n'ont-ils jamais de nom dans ses récits ? Comment expliquer l'absence quasiment totale des colonisés dans *La Peste* ? Quand Camus retourne à Tipasa, pourquoi ne voit-il que des ruines romaines ? N'est-il pas complètement invraisemblable que Meursault soit condamné à mort par un tribunal de l'Algérie française pour avoir tué un Arabe en légitime défense ? Si Camus nous fait pleurer sur le sort de ces pauvres aristocrates français envoyés à la guillotine, ou sur les victimes de la terreur stalinienne, il se tait au sujet de la torture perpétrée par la République française en Algérie, préférant déclarer : « Je défendrai ma mère avant la justice. »

Je commence à me poser la question : Meursault est-il un salaud ? Celui qui est complice de l'agression contre la Mauresque par le maquereau Raymond Sintès et qui ment à la police pour disculper son nouvel ami ? Pour Camus, Meursault, qui « n'a pas joué le jeu », serait « le seul Christ que nous méritions ». En réponse, je citerais le philosophe Marc Almond du groupe Soft Cell : « *I'm sorry, but I don't pray that way*[1]. »

M. Rowlands me donne à lire des articles portant sur les événements de Mai 68, qu'il a vécus quinze ans auparavant — assistant dans un collège, il a dû retrouver illico son Pays de Galles. Voici le récit d'une ferveur, d'un romantisme révolutionnaire, qui manque à Galashiels Academy. Sur une photo, un étudiant embrassait sa petite amie, belle à mourir. Ensemble, sur les barricades, ils hissent le drapeau rouge. J'aurais pu en être. Ai-je raté le train de l'Histoire ?

---

1. « Je suis désolé. Mais je ne prie pas dans cette chapelle. »

Et il y a le PCF. Ici, en Grande-Bretagne, le Parti compte moins de vingt mille membres, et aucun député, seulement quelques conseillers municipaux. C'est dérisoire. Tandis que, outre-Manche, en France on a encore un parti de masse, qui est même en coalition avec les socialistes. Bien sûr, le score humiliant de Georges Marchais à la présidentielle est à regretter, mais je tiens au succès de cette expérience de gauche qui semble rompre avec l'hégémonie thatchérienne-reaganienne. Résigné aux égarements de son fils, mon père rapporte de ses voyages d'affaires en France des journaux comme *L'Humanité* — une découverte merveilleuse — et d'autres publications moins idéologiquement correctes : *Libération*, *Le Matin*, *L'Express*, *Le Nouvel Obs*. Ainsi, je peux suivre les difficultés croissantes de la gauche française, qui tente un programme de gauche dans une situation internationale des plus hostiles. Des élections partielles indiquent un désenchantement dans l'électorat communiste ; un certain Front national vient d'opérer une percée à Dreux. Je mets encore de l'espoir en l'œuvre du communiste Philippe Herzog, *L'Économie à bras-le-corps*, et, à la bibliothèque municipale, je passe de longues heures à imaginer *une issue de la crise*.

Autre raison d'aimer le PCF : contrairement à notre Parti, dominé par les « eurocommunistes », nos camarades d'outre-Manche soutiennent l'intervention soviétique en Afghanistan et refusent de condamner la loi martiale en Pologne. Je ne peux prêter mon soutien aux grévistes occupant les chantiers navals Lénine à Gdansk. Leurs revendications excessives ont déjà causé l'instabilité politique et gonflé la dette polonaise. Comment peuvent-ils voir de la nourriture dans les magasins s'ils ne veulent pas bosser ? N'encouragent-ils pas la contre-révolution ? Ne voit-on pas l'image du dictateur fasciste Pilsudski sur le revers de la veste de Walesa ? Je suis soulagé de voir des tanks dans les rues de la Pologne, et la figure rassurante du général Jaruzelski. Non, le camp socialiste ne sera pas défait.

Challenge, notre journal communiste, s'oppose à ces mesures : « MILITARY RULE — NO WAY ». Dépité, je dois me tourner vers d'autres organisations, tels le Nouveau Parti communiste (qui semble se cantonner au Surrey) et les trotskistes de la Ligue spartaciste : « Pendant que Carter est dans le pétrin, l'armée soviétique fait reculer les mollahs afghans. SALUT, ARMÉE ROUGE ! » Les moudjahidines fusillent les instituteurs pour avoir appris aux filles à lire et à écrire. N'est-ce pas le devoir de l'URSS d'aider le Parti communiste afghan ? Dans les étendues sauvages chères à Joseph Kessel, les troupes de l'Armée rouge et leurs alliés indigènes combattent les partisans tenaces du féodalisme, du voile et de l'obscurantisme.

C'est une période intense, de guerre et de menace de guerre. À Beyrouth, Jean Genet découvre le carnage des camps palestiniens de Sabra et Chatila. Serait-on au bord d'une Troisième Guerre mondiale ?

Peut-être que les armées du Pacte de Varsovie envahiront l'Occident. Je me dis que je serais heureux de collaborer avec l'occupant. Fort de 0,01 % des voix, notre Parti ne va jamais prendre le pouvoir par les urnes.

De ma chambre, qui donne sur la vallée du Gala, je devine les contradictions innées de la société dans laquelle nous vivons. Mes yeux sont ouverts à l'impression de la matière — libéré des entraves de l'idéologie, mon regard est aiguisé par le socialisme scientifique. De grandes cheminées bordent encore la rivière, les machines tournent dans les usines de textile, où les hommes et les femmes génèrent les profits des patrons. À droite, se trouve la cité pauvre de Langlee ; en bas, l'enclave petite-bourgeoise de Langhaugh. Tout près de moi s'élèvent les grandes maisons de la rue d'Abbotsford, nom inspiré de la résidence voisine de Sir Walter Scott, qui fêta avec ses paysans la défaite de Napoléon avant de briser une grève des tisserands de Galashiels.

Les contradictions sociales s'inscrivent dans cette vallée, mais la fausse conscience empêche l'arrivée du Grand Soir. À côté des cheminées montent les clochers d'église. La vallée résonne des rires et des cris des enfants qui passent par l'appareil idéologique d'État : le système éducatif. En centre-ville se trouvent les centres nerveux de la réaction : le Conservative Club, avec ses somptueuses tables de billard (en bleu, naturellement) ; le Liberal Club du député local, où on joue aux dominos ou au whist ; et les mornes bureaux du parti travailliste, toujours déserts. Les clubs polonais et ukrainiens abrutissent leurs exilés de nostalgie et de bonnes doses de vodka.

Les collines de Lammermuir et d'Eildon marquent l'horizon. Sur l'autre versant est tapie la machinerie de la puissance économique mondiale : flux spéculatifs massifs ; libre commerce. Au-delà se trouvent aussi les esclaves du tiers-monde, dont la souffrance nourrit notre bonheur. Au-delà de ces collines, l'Est et l'Ouest jouent leur drame géopolitique. La révolution doit encore advenir, mais, comme Staline nous l'a expliqué dans son *Matérialisme historique et dialectique*, elle est inscrite dans les lois de la matière. Les contradictions atteindraient leur apogée et déboucheraient en insurrection, tout comme une bouilloire.

Vive la fête !

En septembre 1985, je voyage seul à l'étranger pour la première fois. C'est une visite en car, organisée par Progressive Tours Ltd., à la Fête de l'Humanité. Notre véhicule, parti de Londres, transporte un groupe curieusement assorti : un guide franco-marocain, quelques étudiants de Cambridge vêtus de T-shirts de la Chile Solidarity Campaign ; un vieillard grisonnant qui vend le *Morning Star* ; un petit fonctionnaire juif coiffé d'un képi à la Lénine ; un Mauricien qui démolit sans interruption une bouteille de vodka ; une Australienne à la valise excessivement grande, et un couple d'un certain âge qui discute en connaissance de cause des arcs-boutants de Notre-Dame.

Comme Paris se prélasse à la chaleur de fin d'été, ses nouveaux gratte-ciel scintillant au soleil, le guide nous explique les malheurs de la gauche française. La ceinture rouge autour de la capitale est en lambeaux. Le PCF, jadis le premier parti de France, s'est effondré à 10 % dans les sondages. Après l'euphorie de 1981, le Parti socialiste au pouvoir a envoyé des troupes au Tchad, au Liban, et s'est aligné sur les États-Unis au sujet des euromissiles. Ils ont gelé les salaires, prêché « réalisme » et « modernisation ». Laurent Fabius, jeune et beau Premier ministre, arrive à Matignon, fringué d'un costume Armani. Qui plus est, en moins d'une décennie, selon un sondage, l'opinion négative de l'Est communiste chez les Français est passée de 43 à 69 %, et l'opinion positive tombée de 28 à 11 %.

Mais la Fête de l'organe central du Parti dissimule ces tristes réalités. Des foules énormes remplissent les rues d'une ville en miniature qui nous rappelle la tradition révolutionnaire de la France : rue Marat, rue Robespierre, avenue Victor-Hugo. À la Cité internationale, on afflue autour des stands de la *Pravda*, du *Quotidien du Peuple* de Pékin, de *Rudé Právo, Neues Deutschland, Trybuna Ludu, Népszabadság*, entre autres. Ailleurs, Boulogne-Billancourt se vante d'un stand énorme, des mineurs du Nord arborent des casques frappés du logo de la CGT, il y a même des flics parisiens dans ce syndicat ! Toutes les régions de la France y sont représentées, répandant l'hégémonie par la gastronomie : cassoulet de l'Aude, paella de l'Hérault, crêpes du Morbihan.

Nous sommes cent mille à la Grande Scène pour écouter le secrétaire général, Georges Marchais. Certes, beaucoup de gens attendent une légende de la chanson française, Charles Aznavour, qui doit le suivre, mais le discours annuel de « Jojo » est une institution, le coup de pistolet d'une nouvelle saison politique. Pour quelqu'un qui cherche à maîtriser la langue française, Jojo est une grande consolation :

— Il faut que les Français *savent* !

— Les patrons, y *croillent* à un conte de fées !

Des poings militants enfoncent l'air, des drapeaux rouges sont agités, pendant que Marchais, avec ses sourcils broussailleux impeccables et ses cheveux bouffants, incroyablement noirs pour un sexagénaire, s'avance vers le podium :

— Amis et camarades !

Il entreprend de s'acharner sur les socialistes, fascistes et autres antisoviétiques.

Le lendemain, en rentrant, nous faisons escale dans un vignoble, près de Reims, d'un sympathisant communiste. Nous nous enivrons de champagne rosé organiquement cultivé. À l'approche de la Manche, notre groupe devient tapageur, chantant à tue-tête des chansons radicales. Le fonctionnaire juif, dont le nez est maintenant rouge vif, fait un discours impromptu sur sa lutte solitaire contre les forces réactionnaires de l'*establishment* britannique.

À travers la fenêtre défile le paysage du Pas-de-Calais : plat, sans arbres, sous un ciel de plomb. La scène du carnage de deux guerres mondiales, et un berceau du socialisme. Un lieu de terrils et de puits de charbon qui atteignent l'épuisement. Le pays de Germinal et des émeutes de la faim. Puis Arras, ville natale de l'héroïque Robespierre. Mais notre groupe n'est pas conscient de l'histoire de cette région, qui semble sombrer sous la terre d'où elle avait surgi. À Boulogne, on s'approvisionne dans une boutique *duty free*.

Ce jour-là, la une de *L'Humanité* porte l'image de la foule gigantesque devant la Grande Scène. Son titre :

« LE SOUFFLE. »

Der Kommunismus ist kaputt !

Le champagne coule dans les enclaves bourgeoises de la Grande-Bretagne. Les mineurs sont vaincus. La courbe du chômage s'inverse. Il y a un *big bang* dans la City de Londres. L'individualisme s'épanouit sans complexes, armé d'une nouvelle technologie : walkman, magnétoscope et radiotéléphone (aussi petit qu'une brique !). À St. Andrews, l'esprit de *go go go !* est dans l'air, et les *Yahs* (BCBG) de la fac se pavanent triomphalement dans les rues et les bars, fringués de pulls Aran, de pantalons en velours et de perles (pour les filles), au volant de leur Golf GTI rutilante. Outre-Manche, Louis Mermaz, ouvrier socialiste, déclare : « Nous aussi, on sait se servir des couverts à poisson ! » C'est l'ère du *gagneur*, incarné par Bernard Tapie.

En septembre 1986, je visite l'URSS pour la première fois. Gorbatchev est au pouvoir mais la signification de Glasnost et de Perestroïka n'est encore pas évidente. Je découvre l'URSS de la vieille garde.

L'intimidant contrôle des passeports à l'aéroport de Cheremetievo confirme sa mystique de guerre froide. Le package d'Intourist est commercial, et donc non politique, mais dans le foyer de l'hôtel Cosmos le mouvement international est encore présent : des délégués de la CGT y traînent, moroses — et donc typiquement français —, à attendre leurs guides.

Au-delà des gardes à la réception, et des gamins qui échangent des badges soviétiques contre du chewing-gum, voilà Moscou : grisaille sous la pluie perpétuelle ; rues boueuses et trouées, à moitié remplies de Lada et parfois d'une limousine Zil ; la sculpture d'un ouvrier et d'une paysanne qui brandissent la faucille et le marteau — les joints entre les morceaux de pierre sont plus évidentes que sur les photos. Puis la sculpture d'une fusée qui monte en flèche vers l'espace.

Je prends le métro. C'est étrange, là-bas : intérieurs richement ornés, éclairés de lustres ; d'innombrables vieilles dames nous surveillant. Une jeunesse sans sous-culture apparente. De pâles figures dont les sourires révèlent des dents en or. Qui semblent toutes me dévisager. Et, éparpillés parmi les masses, des officiers et des gendarmes en uniforme immaculé, uniformément beaux. Le soir, je traverse la place Rouge. Des gardes se tiennent immobiles comme des mannequins devant les portes du mausolée de Lénine, pendant qu'un officier patrouille, une grosse mitraillette sous son imperméable. De temps en temps, une limousine noire s'engouffre par les portes du Kremlin. Le drapeau rouge flotte malgré l'absence de vent. Un étrange fracas de cloches marque le passage du temps.

Est-ce cela que je souhaite ? Des vitrines qui ressemblent à des fenêtres de maison. Des magasins aux noms simples et anonymes : *myasso* (viande), *moloko* (lait), *reeba* (poisson). Des pyramides de boîtes de tomates en conserve ; de longues files d'attente au centre commercial Goum pour des arrivages de bottes en cuir ; des poulets plumés vendus au cul d'un camion. Le seul produit de haute qualité semble être la glace, pour laquelle les Moscovites font patiemment la queue sous les premières neiges.

On multiplie les excursions : voir des éléphants danser et un tigre fouetté dans le parc de Gorki (« je ne supporte pas cette cruauté », me dit un étudiant parisien). Au Palais des députés du peuple, le Bolchoï chante de l'opéra pendant que des exilés sud-africains de l'African National Congress rient et bâillent. Léningrad, Venise du Nord, semble racheter l'Union soviétique par sa splendeur architecturale, mais aussi par sa prospérité relative — après tout, la Finlande est juste à côté. J'y achèterai une édition de *Quatrevingt-treize* de Victor Hugo et y échangerai mes baskets contre un chapeau en fourrure de l'Armée rouge, des badges et des affiches que j'accrocherai aux murs de ma chambre du foyer universitaire.

« Gorbatchev survivra-t-il ? » nous demandons-nous. Il y a des raisons d'être soulagés. Enfin, après des années d'atrocité et de trahison de l'idéal, l'URSS mène la réforme du socialisme existant. La répression diminue, le débat public s'ouvre, tandis que des initiatives de paix prennent à contre-pied la Maison-Blanche. On peut de nouveau être prosoviétique ! C'est comme si on avait toujours été amoureux de l'Est, mais que récemment on avait eu honte de le déclarer.

En 1988, je choisis de rester à l'Université de St. Andrews pour faire une thèse de doctorat sur les écrivains français de gauche. Celui qui m'attire le plus est un poète breton, Guillevic. Il a été communiste depuis la Résistance jusqu'à l'intervention en Afghanistan. Il a mis son œuvre au service du Parti pendant la guerre froide, a même écrit un poème, « Au camarade Staline », et liquidé l'individualisme en écrivant des sonnets antiaméricains. Après le discours secret de Khrouchtchev, en 1956, il a été profondément bouleversé et désillusionné, sans pour autant perdre un attachement au socialisme démocratique. Ses poèmes s'adressent également à l'anéantissement de la nature par la modernité techniciste. Voilà donc un itinéraire sur lequel je peux légitimement projeter mes préoccupations.

Ses livres, avec ceux de deux autres communistes français, Louis Aragon et Jean Marcenac, m'accompagnent pendant un voyage en Hongrie en septembre 1988. Ainsi, je peux lire *Terraqué* ou *La Diane française* en goûtant les délices du communisme gou-lasch inventé par János Kádár depuis novembre 1956 : prendre les eaux thermales à côté d'escrocs hongrois, d'un Est-Allemand manchot et d'espionnes bulgares en bikini ; lamper la bière tchèque et dévorer des grillades transylvaines ; jouir sous les caresses d'Ilona, cadre moyen d'une usine de textile, qui habite la rue Ernst-Thaelmann.

— Je déteste ces systèmes ! me dit Peter, jeune entrepreneur qui a travaillé avec mon père pendant cette décennie. Je sais que la Sécurité a un dossier sur moi, mais je m'en fiche : ce régime est foutu.

Il m'invite chez sa mère, dans sa splendide maison de campagne. Elle a lutté pour la garder. Ancienne interprète de mon père, ayant fait ses études à la Sorbonne avant la guerre, elle me déclare :

— Le communisme est le plus grand désastre de l'humanité.

À bord du train pour Vienne, je partage mon compartiment avec une jeune Américaine qui, comme moi, vient d'assister au grandiose Concert for Human Rights Now ! (Bruce Springsteen, Sting et Tracy Chapman à l'affiche) dans un parc de Budapest. Elle va à Berlin-Ouest. On parle politique. Je défends le côté positif du socialisme existant, malgré la crise évidente. À mon sens, on ne peut comprendre le phénomène du socialisme est-européen sans prendre en compte son statut avant 1939. Cette arriération quasi coloniale a encouragé le protectionnisme et

une industrialisation démesurée. Dans ce compartiment, il y a également une vieille Saxonne, qui vient
de rendre visite à de la famille en Transylvanie. Elle
crache :

— *Der Kommunismus ist kaputt !*

Elle se réjouit quand, à la gare de Vienne, elle
trouve le train pour la RFA sur le quai d'en face, précisément à l'heure. *Vorsprung durch Technik.*

À Paris, la Fête de l'Humanité offre les mêmes
stands et la même affluence. Encore une fois, une
foule gigantesque est devant la Grande Scène pour le
discours de Georges Marchais. Certes, Johnny Hallyday doit le suivre, mais Jojo reste une proposition
alléchante. Encore une fois, il s'approche du podium :

— Amis et camarades !

Et expose l'argument en faveur du communisme
à une masse humaine sur laquelle s'agitent des drapeaux rouges et des poings serrés. Des militants
lèvent leurs petits enfants pour qu'ils puissent voir le
secrétaire général :

— Le voilà ! Tu vois ?

Au milieu de son discours, dans l'hilarité générale,
la plate-forme qui soutient les membres du Comité
central s'effondre.

« Il faut construire l'Hacienda »

C'est grâce aux *Lettres françaises* de Jean Ristat que je fais la connaissance de l'œuvre du théoricien de la « société du spectacle », Guy Debord. En septembre 1992, à l'occasion de la réédition de *La Société du spectacle* chez Gallimard, un numéro entier est consacré à l'analyse critique du travail de Debord où l'auteur y est décrit comme un rebelle dressé contre l'ordre établi. Les articles mettent en avant la pertinence des idées de Debord, qu'il s'agisse du spectacle comme « rapport social entre des personnes médiatisées par les images », du présent perpétuel, du mouvement constant des marchandises, du secret d'État ou du gangstérisme. La théorie situationniste de Debord et de ses camarades éphémères — car ce « Pape » ne tolère aucune dissidence — semble capter l'air du temps : le triomphe de la « société du marché » qui, même avant l'avènement d'Internet de la culture *selfie*, domine l'image.

Le ton des derniers écrits de cette partie sombre du monde intellectuel français — il ne se laisse jamais photographier, il ne domine pas les plateaux de télé comme un BHL ou un Sollers — est bien mélancolique. Dans *Panégyrique*, Debord parle de son intérêt pour la stratégie militaire, mais s'identifie à des soldats intellectuels qui ne connaissent que la défaite. Il y fait l'éloge de l'ivresse violente qui promet « une paix magnifique et terrible, le vrai goût du passage du temps ». Le suicide de Guy Debord, en novembre 1994, est causé par une maladie incurable induite par l'abus d'alcool : dépourvu du toucher, l'ennemi du spectacle se voit réduit en spectateur pur.

Les idées de Debord sont promues par *Les Inrockuptibles*. Ce « suicidé de la société du spectacle » est revendiqué par Philippe Sollers, qui se proclame « romancier du spectacle ». Même s'il y a des limites. Dans son bureau chez Gallimard, en compagnie de Marcelin Pleynet, je lui demande :

— Vous êtes donc comme Guy Debord ?

— Je ne suis pas comme. *Come ! Come !*

Sollers garderait donc jalousement son originalité.

Debord et les situationnistes sont également suivis dans le monde « anglo-saxon ». Sur les campus universitaires, naturellement, mais aussi dans le monde du rock. Malcolm McLaren, manager des Sex Pistols, prétend avoir découvert le « situationnisme » à Paris pendant les événements de Mai. Par la suite, il crée une revue underground, *King Mob*, avant d'inventer un phénomène punk qui scandalisera l'Angleterre moribonde de la fin des années soixante-dix. McLaren n'est pas seul. Le groupe post-punk Gang of Four se réfère explicitement aux théories « situs », aussi bien que Tony Wilson, manager de Joy Division et propriétaire de The Hacienda, boîte de nuit célébrissime au centre de Manchester. Cette boîte, qui a accueilli New Order, Madonna, The Fall et The Smiths avant la vague *acid* des Happy Mondays et Stone Roses, emprunte son nom à un texte d'Ivan Chtcheglov sur l'urbanisme unitaire. « Il faut construire l'Hacienda », un lieu où les citadins puissent jouir sans entraves.

C'est au Ducie Arms, tout près de l'Université de Manchester, que je fais la connaissance d'Andrew Hussey, futur biographe de Debord. Les grands esprits et les foies graisseux s'y rencontrent. Tous les deux, nous sommes passionnés des situationnistes et du rock, surtout du rock mancunien[1]. Des dieux sont morts — Joy Division, Magazine, The Smiths — mais dans la ville on parle avec excitation d'un nouveau phénomène, Oasis, qui éclatera début 1995. Ils deviennent tellement populaires que j'arriverai une seule fois à trouver un billet pour un de leurs concerts... au Bataclan.

Nous avons également des ambitions de journalistes, et nous nous résoudrons, au bout d'interminables pintes avec *whisky chaser*, à soumettre aux *Inrockuptibles* des articles sur les liens entre rock britannique et vie intellectuelle française. Nous com-

---

1. De Manchester.

mençons par Mark E. Smith, leader de mon groupe préféré, The Fall, un homme régulièrement vainqueur du sondage annuel du *Manchester Evening News* : « Qui est le plus grand Mancunien de toute l'histoire ? »

Nous rencontrons enfin mon héros au Circus Tavern, le plus petit pub de la ville. J'ai raté mon rendez-vous avec Georges Marchais, mais me voici en train de serrer la main du rocker auquel l'autre Andrew, « Potty », m'a initié à Galashiels en 1980. Mark est diminué par un *rock'n'roll lifestyle* qu'il a entamé à l'âge de seize ans, mais il reste pugnace et plus qu'un peu menaçant : on sait qu'il a tendance à éteindre ses cigarettes dans la figure des journalistes qu'il n'aime pas.

Après quelques pintes, nous l'amenons dans un restaurant français du coin, Le Beaujolais. Ce n'est pas son milieu naturel, et il regarde autour de lui avec mépris.

— Tu vois ce serveur, là ? C'est un bassiste raté. Il y en a partout dans cette ville. Ils viennent étudier les Happy Mondays, faire l'école Stone Roses. Mention nullard.

Nous commandons en entrée des cuisses de grenouilles. Le chanteur coriace de « Lutins urbains[1] » les regarde avec amusement avant d'attaquer le sujet à l'ordre du jour : la France.

---

1. « City Hobgoblins », chanson de The Fall.

— À la maison, on n'avait pas le droit de parler des Français. Mes ancêtres étaient sur la plage de Dunkerque en 1940. Les *tommies* du Lancashire attendaient l'arrivée des SS, chialant pour leurs mamans. Les Français les écrasaient avec leurs blindés afin d'atteindre un bateau pour l'Angleterre. Les salauds.

Le steak au poivre arrive. Nous commandons encore un litre de rouge. De façon ostentatoire, l'auteur de « Qui fabrique les nazis[1] ? » se sert des pommes sautées avec sa main droite. Je constate qu'il a du mal à mâcher la viande : des décennies d'amphétamines ont ravagé ses gencives et lui ont ôté la majorité de ses dents. On passe à la littérature française, qu'il aime bien, malgré l'évacuation de Dunkerque. Après tout, The Fall doit son nom au roman de Camus, *La Chute*.

— C'est quoi ce pédé en taule ? Genet ? Pas mal.

Mais c'est surtout Céline et *Voyage au bout de la nuit* qui le passionne.

— Céline est le seul auteur parmi les Français — bien trop bourgeois à mon avis — qui comprenne ce que c'est qu'être prolo.

Céline est donc mieux apprécié que les SDF français qui envahissent, paraît-il, cette *Sceptred Isle*.

— Je les croise tout le temps à Tottenham Court Road, à Londres. Ils me tendent la main et me disent : « Le ticket de métro coûte 50 pence.

---

1. « Who Makes the Nazis ? », chanson de The Fall.

J'ai seulement 20 pence. Vous me devez donc 30 pence. » Ils se prennent pour Jean-Paul Sartre, ces connards !

La logique cartésienne n'est donc pas de mise à Manchester. Nous nous passons de la crème brûlée et entamons une dérive de pub en pub, parcourant des rues hantées par Friedrich Engels et le mangeur d'opium Thomas De Quincey. Nous nous arrêtons au « siège » du groupe, où nous voyons le *personal assistant* (traduction : esclave) de Mark trembler en présence de son maître. Nous finissons dans le bureau de mon collègue, Jeremy Stubbs, spécialiste du surréalisme, qui fête son anniversaire avec du patxaran, liqueur basque, et des œufs de pluvier. Jeremy montre à Mark un beau livre sur André Breton. Pour une fois, le génie venu des docks de Salford semble dérouté. Il sort en claquant la porte. Je rentre chez moi et vomis dans le taxi.

— C'est très bien, dit Jean-Daniel Beauvallet, rédacteur des *Inrocks*. Très bien. Marc Weitzman apprécie. Ce Mark, il est fou !

Nous sommes donc encouragés à creuser ce filon franco-britannique. Je lui évoque notre projet d'organiser un colloque sur l'Internationale situationniste à The Hacienda, site religieux où Jean-Daniel et ses confrères ont fait le pèlerinage obligatoire. Il me met donc en contact avec un de leurs « grands reporters », Gilles Tordjman, un type très fébrile, tremblant et couvert de sueur, qui porte les traces de longues nuits passées dans des boîtes de jazz. Il accepte de faire une communication au colloque. Il me met également en contact avec Ralph Rumney, un des fondateurs de l'IS, et Pascal Dumontier, auteur de *Les Situationnistes et Mai 68.*

Dumontier me donne rendez-vous à Paris dans un pub irlandais, The Quiet Man, tout près du Marais. Il est « plongé dans la lecture d'un livre peu recommandable ». Avec sa barbiche et ses cheveux longs, il me fait penser à un personnage de Dostoïevski. Il parle du côté sombre des événements de Mai 68 : il ne s'agissait pas d'une « fête » ; il y avait eu des morts. Depuis, le spectacle est devenu encore plus puissant. Il veille sur nous. Mais Dumontier accepte de venir à Manchester pour dénoncer ceux qui ont déformé et trahi les idées de Debord.

Quant à Rumney, maintenant à Manosque, il se plaint au téléphone de la passivité des étudiants d'aujourd'hui.

— À notre collège des beaux-arts à Londres, on baisait collectivement sur le toit ! Mais que foutent les jeunes de nos jours ?

Il se méfie de l'idée d'un colloque universitaire sur le groupe d'avant-garde qu'il a cofondé à Cosio d'Arroscia en 1957. Ça sent la *récupération*. Mais il va coopérer. Je lui promets de l'argent.

— J'ai l'impression que vous êtes deux jeunes hommes bruyants. Un peu comme je l'étais.

Nous prenons contact avec l'attachée culturelle de France à Manchester. Elle se dit une grande admiratrice de Debord : « *La Société du spectacle* est un chef-d'œuvre, mon livre de chevet. » Fatidiquement, elle accepte d'associer le nom de l'ambassade à ce projet.

Tony Wilson donne sa pleine approbation. Nous l'interviewons en vue d'un article pour *Les Inrocks*. Il s'enorgueillit de l'influence situationniste sur sa carrière dans le rock et les médias. Au-dessus de la porte du bureau de The Hacienda sont inscrits les mots « *The Hacienda Must Be Built* ». C'est pour des raisons « situationnistes » qu'il a refusé le copyright sur le catalogue des disques de Joy Division et Factory Records. Il a été ruiné mais de façon révolutionnaire. Il a baptisé un autre groupe mancunien, The Durutti Column, d'après une bande dessinée célèbre de l'IS.

La porte s'ouvre. C'est l'épouse de Tony, une ancienne Miss England.

— Tony, viens. On va déjeuner.

— Attends, chérie. Nous sommes en train de parler révolution !

Les choses se mettent donc en place pour le premier colloque sur l'IS, et le premier colloque universitaire à avoir lieu dans une boîte de nuit. Entre-temps, nous écrivons un article, « De l'être au néant », sur les rumeurs parisiennes planant autour des suicides quasi simultanés de Debord, Roger Stéphane et Gérard Voitey. Il paraît dans *The Independent on Sunday*. Dès ce moment, cela tourne mal. Tordjman n'est pas content. Il m'écrit : « J'ai lu l'article sur les trois suicides, qui est un tissu de mensonges et de désinformation. Je regrette que tu y aies associé ton nom. J'espère que nous aurons l'occasion d'en parler de vive voix. »

Le colloque suscite l'intérêt d'universitaires et des milieux « pro-situs » en Grande-Bretagne et outre-Manche. Mark E. Smith, Tony Wilson, Jon King, leader de Gang of Four, et Jamie Reid, dessinateur des couvertures notoires pour *God Save the Queen* et *Never Mind the Bollocks*, ont accepté de participer à une table ronde : « Retombées situationnistes : punk, new wave et la fin du monde ». Malcolm McLaren, le svengali de *Sex*, pense venir de Paris. Mais il y a également des bruits plus menaçants : les « pro-situs » sont mécontents de cette récupération universitaire de la révolte situationniste — Guy Debord n'a jamais fait d'études ; il n'a même pas travaillé le long de sa vie. On attend donc des dénonciations et même des « incidents ».

The Guardian titre « Rave avant-garde où le déjeuner est la seule certitude » : « Disputes et dénonciations sont garanties ». Selon *City Life*, le colloque a été organisé avec le concours de l'ambassade de France « de façon vraiment *pranksterish* ». L'attachée culturelle demande immédiatement à l'un de ses subalternes de chercher dans le dictionnaire le sens de ce mot. « Prankster = farceur » (Collins/Robert). Aurait-on affaire au détournement situationniste du Trésor de la République française ?

Le 26 janvier 1996, la veille du colloque, la neige commence à tomber dru sur Manchester et l'Europe entière. Andrew et moi, nous partons à la recherche de nos invités français. Il n'y en a aucun signe. Apparemment, leur avion d'Air France est resté coincé sur le tarmac de Roissy. Ils n'arriveront jamais. Quant à Rumney, il a renoncé sous la pression des deux veuves de Debord, Michèle Bernstein et Alice Becker-Ho. Il nous enverra par fax un texte dénonçant le colloque et les « pro-situs ». Les passages en anglais seront lus par un ami et spécialiste de l'art situationniste, Alan Woods. « Pour les passages en français, je voudrais une voix féminine. »

Nous choisissons Emmanuelle, lectrice de français à l'Université et compagne de Jeremy. Par hasard, Emmanuelle vient de Manosque, elle aussi. Sur le fax, Rumney a mis la publicité pour une « nuit des yéyés » dans un piano-bar de la ville qui porte le nom de... l'Hacienda :

« De Nashville à Woodstock en passant par le Golf-Drouot et Salut les copains venez partager avec nous cette formidable période musicale de 1961 à 1973... les tenues les plus branchées seront récompensées ! Entrée gratuite pour les filles. »

— Je connais bien cet endroit, remarque Emmanuelle. Il est tenu par la mafia. Il y a des orgies.

Le lendemain, nous marchons sur The Hacienda : *The Spectacle Must Go On !* Andrew a choisi de mettre des *chelsea boots* pour cet événement. Les bottes sont belles, mais très mal adaptées aux conditions. Il glisse sur les trottoirs enneigés d'Oxford Road et finit deux fois sur le cul.

— Tu crois que Ralph va nous rendre l'argent pour le voyage ?

— Sans doute il l'a pissé contre le mur d'un bistrot de Manosque.

Dumontier et Tordjman ont transformé leur empêchement de venir en grand geste de rectitude antispectaculaire.

Nous arrivons au temple situationniste du rock mancunien. Malgré la météo, une foule attend déjà devant les portes : impatiente, un peu grincheuse, frappant du pied pour garder la chaleur. À l'intérieur, nous nous rendons compte que le management a oublié (ou choisi délibérément) de mettre le chauffage.

— Ça fait très avant-garde, nous dit Richard, historien de l'art.

Afin de rassurer les autorités sur le sérieux scientifique de cette entreprise, nous avons invité le professeur David Bellos, biographe de Georges Perec, à présider la première séance, où Len Bracken, un Américain plutôt louche, qui prétend avoir découvert la théorie situationniste grâce au milieu de surfeurs qu'il fréquente, siffle le coup d'envoi avec un papier sur « Attendre Guy Debord (ou quelqu'un comme lui) ». Suivront Philip Edwards, « Il faut détruire l'Hacienda », et Fabian Tompsett, de la London Psychogeographical Society, sur « Magie et matérialisme dans la tradition millénariste ». Delia, une linguiste sicilienne remarque :

— C'est un colloque universitaire, mais les délégués ne ressemblent pas du tout à des universitaires !

D'autres délégués sont moins contents. Grelottant, l'attachée culturelle me lance :

— Mais ça ne va pas, non ?

Et Ben Watson, « ouvrier socialiste » de Cambridge, auteur de *Frank Zappa : The Negative Dialectics of Poodle Play*, me dit :

— Ceci n'est pas avant-garde, Gavin. C'est tout simplement merdique !

Mais, en regardant l'audience de cent cinquante personnes, venues miraculeusement des quatre coins du pays, je crois que nous avons gagné notre pari. Le videur de la boîte, plus habitué à des rencontres musclées avec des dealers, m'annonce, ébahi, qu'il y a une manifestation devant la porte d'entrée. Effectivement, un acolyte de Debord est parvenu à traverser la Manche pour couvrir les murs d'une affiche détournant la nôtre :

Il faut construire la Bastille.

« Sur la récupération de la révolte situationniste.

« Les dialectiques sont interdites dans l'académie. *Conférences :*

« Problèmes préliminaires dans la construction d'un programme d'études situationnistes.

« Tout le monde devrait vivre dans sa propre tour d'ivoire.

« Écriture industrielle : l'IS comme sujet de doctorat et d'exposé de séminaire.

Ateliers :

« Psychogéographie et comment acheter sa propre maison.

« Détournement et travaux de décoration. »

De retour à l'intérieur, cela commence à chauffer, à plus d'un titre. Andrew et moi, nous nous tenons devant la scène sur laquelle Alan et Emmanuelle lisent la dénonciation faxée de Manosque :

« On peut trouver tout ce qu'il faut sur les situationnistes dans les textes publiés. Effectivement, le fait que des universités organisent cette farce m'incite à relire *Misère en milieu étudiant*... Le " situationnisme " est une autre affaire. Les gens qui utilisent ce terme dépourvu de sens méritent seulement le mépris. »

Rumney continue, ponctuant chaque phrase avec « MÉPRIS » en majuscules. Un quart de siècle passé, les situationnistes avaient passé le bâton à une nouvelle génération, également créative. Ce bâton avait été lâché :

« Depuis lors, nous subissons, en silence, les pro-situs, proto-situs, méta-situs, post-situs, néo-situs, et toutes sortes de cultes dérivés des situationnistes. Bientôt nous trouverons des Moonie-situs, des Hare

Krishna-situs, des sectes à Manchester et à Londres reliées par un *ley line*[1] à travers le Watford Gap, nourries de conneries mal recherchées, non vérifiées et mal digérées comme l'article qui a paru dans *The Independent*. »

Andrew et moi échangeons un regard. Ralph Rumney termine sur un disneyesque « *That's all folks !* ».

Le lendemain matin, Tony arrive en voiture de sa grande maison dans le Cheshire. Il porte un veston noir très design qui, avec ses drôles de bulles, anticipe les fringues extravagantes de Lady Gaga. Bientôt après, Mark E. Smith pénètre dans le sanctuaire. Vétéran de concerts dans cette salle, se sentant en territoire conquis, il fait ouvrir le bar. Convenablement rafraîchies, ces deux légendes du rock mancunien croisent le fer sur un sujet qui s'avère peu familier au leader de The Fall :

— Alors, le situationnisme, c'est quoi, Tony ?

— Malcolm McLaren croyait que ce serait un acte situationniste de créer un groupe qui serait massivement populaire parce qu'il était dégueulasse et sans aucune valeur artistique. Mais…

— Oublie toute cette merde sur la musique pop. On m'a invité ici pour parler des situationnistes.

— Non, je ne l'ai pas fait.

— Tu vois, c'est une réponse typiquement situationniste.

---

1. Tracé probable d'un chemin historique.

— Non, Mark. On t'a probablement invité parce que dans ton attitude, ton comportement, ta philosophie, ton activité...

— Alors c'est ça le situationnisme ? Une sorte de sous-psychiatrie ?

— Mark, tu es situationniste sans le savoir.

— Comment ?

— Tu es odieux et tu fais ce que tu veux.

— Peut-être, Tony, que tu voulais devenir une pop star, toi aussi ?

— Je suis incapable sur un plan musical... Mark, pratiques-tu la dérive ?

— Quoi ?

— Est-ce que les rues t'incitent à les parcourir ?

— T'occupe !

Mark restera des heures à boire et à donner des audiences à ses adorateurs. Il interrompt ces échanges pour haranguer un intervenant. Patrick Ffrench (quel destin dans un nom), de l'Université de Londres, est en train de nous lire une communication bien ciselée, « Dérive : le détournement du flâneur ». Mark s'écrie :

— T'as oublié Charles Dickens !

Patrick scrute la pénombre, perplexe.

Mark quitte The Hacienda, sa mission accomplie. La nôtre aussi. Je distribue discrètement les centaines de livres que nous avons reçus des délégués : *cash from chaos*. Nous n'entendrons jamais rien de Gilles Tordjman. J'apprends que lui et Marc Weitzman, dirigeants de la fraction pro-situ des *Inrocks*, refusent de voir notre article publié dans le magazine. Nous sommes désormais excommuniés. Je téléphone aux *Inrocks*, demandant Jean-Daniel pour avoir au moins une explication. Il ne décroche jamais. La standardiste me dit :

— Jean-Daniel est débordé !

J'écris à Pascal Dumontier pour demander poliment le texte de sa communication avortée. On aimerait l'inclure dans les actes du colloque. Il répond ainsi : « J'ai bien reçu votre dernière lettre qui, à vrai dire, m'a proprement étonné. Je vous aurais cru suffisamment intelligent pour comprendre que mon silence, par la suite, n'était pas dû, cette fois, à des causes météorologiques, mais exprimait mon mépris qui voulait répondre à vos propres silences sur de nombreux points. D'une part, je trouve que l'article que vous avez cosigné avec A. Hussey dans l'*Independent on Sunday* du 10 décembre 1995 montre que vous participez assez bien de cette époque et de son niveau de pensée. Je trouve surtout idiot de votre part que vous puissiez croire un instant que je n'en prenne jamais connaissance. D'autre part, que pensez-vous me faire croire en disant que "le colloque a été un grand succès" ? Pensez-vous me faire oublier que vous ne m'en dites rien et surtout pas l'essentiel : à savoir que je ne suis pas le seul à savoir ce que vous valez et à ne pas être venu à votre petite foire ! S'il y a eu une certaine forme de sabotage à ce colloque, ce n'est pas la météo, mais vous-même qui devez en être tenu responsable. »

Dans un style d'invective classiquement situationniste, Dumontier conclut :

« Vous avez montré tout ce dont vous étiez capable. Je crois qu'on ne saurait guère vous oublier et vous pouvez être sûrs, votre confrère et vous, que votre réputation sera faite au-delà même des frontières de votre pays. En somme, vous pouvez être fier de votre époque, mais il fallait sans doute votre inintelligence pour rehausser le style médiato-policier du *newspeak* contemporain. Grâce à vous, on est sûr que *la vérité sera toujours ailleurs.* »

Cette lettre sera traduite en anglais et distribuée comme tract dans les milieux pro-situs.

Au moins Philippe Sollers apprécie notre « inintelligence » :

— Mais vous agissez *librement* !

Cependant, nous nous sommes faits *personae non gratae* sur les rives de Lutèce. Andrew Hussey deviendra un ami et compagnon de beuverie de Ralph Rumney. Il écrira sa biographie de Guy Debord. Elle sera bien reçue par la critique anglo-saxonne mais ne sera pas traduite en français, à cause de l'opposition tenace des veuves situationnistes, au nom d'un des piliers de l'hypocrisie parisienne : « le droit à la vie privée ». Michèle Bernstein écrira à Andrew : « Sur vous on sent l'odeur familière de l'arriviste. » Quant à l'attachée culturelle, elle sera mutée dans un lycée de Clermont-Ferrand.

Chute libre

On sent la fin imminente des choses. D'abord, la répression de la place Tiananmen. Devant les images de ce massacre à la télé, Fabio, un doctorant brésilien en botanique, nous lance, les naseaux dilatés :

— Maintenant qu'on a commencé, il faut les tuer tous !

Un moment, je suis d'accord.

Avec le mois de juillet 1989 vient le bicentenaire de la Révolution française. C'est l'heure de répudier l'héritage du jacobinisme, et non pas de le célébrer. L'administration socialiste aseptisée de Rocard et de Mitterrand fête la victoire des droits de l'Homme. Un défilé d'étudiants chinois exilés, puis celui, plus traditionnel, des tanks et des avions, illustrent l'ambivalence de la démocratie libérale. Mais où est passée la République de Vertu proclamée par Robespierre ? Elle semble incarnée par le sanguinaire Deng Xiaoping, ancien ouvrier du Bassin parisien. La prise de la Bastille n'a-t-elle pas fait que libérer le marquis de

Sade, dont la folie renvoie à celle de Jean-Paul Marat, diplômé de St. Andrews.

À la fin de juillet 1989, je participe à la dernière délégation du Parti communiste britannique en RDA. Après le passage initiatique par Checkpoint Charlie, deux semaines de discussions et d'excursions sous les yeux de lynx de Frank et Mikhael, jeunes et brillants diplomates représentant la section internationale du Comité central du Parti socialiste unifié d'Allemagne (SED). Ainsi, dans la Bezirksparteischule de Leipzig, on écoute des experts sur l'état des économies des pays du bloc — on méprise l'arriération et le chaos politique dans la Pologne outre-Neisse, dont des déléguées communistes, belles, blondes et tristes, sont nos voisines inatteignables. Visites à un village modèle curieusement désert, à une usine de textile où traînent des Vietnamiens désœuvrés, à Buchenwald dont la libération par les troupes américaines est passée sous silence. Et notre délégation de moribonds : Sean, postier sarcastique et désabusé de Southampton, John, dernier conseiller municipal du Parti à Nottingham, deux staliniennes de Stoke, Norman, vieux cockney aux tendances racistes, et David, un jeune alcoolique de Hampstead qui insiste sur l'urgence de lire le *Grundrisse* d'Engels et, dans une stupeur spectaculaire, se fait arrêter par la milice. « Il est de la mauvaise viande », déclare Wolfgang, notre interprète. En rentrant d'une soirée de la Jeunesse allemande libre, où une jeune mère m'a parlé des ravages de la pollution sur ses enfants, je passe devant le Kirche où une foule contestataire déborde les portes.

Nos discussions sont de plus en plus tendues et incohérentes, sous le regard impassible de Mikhael. Ce diplomate, qui a fait un séjour prestigieux avec Frank à l'ambassade de Washington, et semble promis à une illustre carrière dans l'appareil, qu'est-ce qu'il pense de nous ? Exaspéré, je lui lance :

— Ne crois-tu pas que le bloc communiste est sur le plan d'être balayé ?

Le futur dirigeant du SED sourit, en secouant la tête :

— Nous avons des politologues qui savent s'adresser aux problèmes réels du développement socialiste.

Il nous quittera après un déjeuner délicieux à l'hôtel du Parti dans Karl-Marx Allee et une visite du côté est du Mur de Berlin. Il nous annonce avec un large sourire :

— Angela Davis était ici la semaine dernière. Yasser Arafat viendra bientôt !

Sous la porte de Brandebourg, des touristes occidentaux regardent avec curiosité les derniers délégués du Parti communiste britannique. Nous admirons un Mur parfaitement blanc.

Fin été 1989, je reçois une carte postale de Sean le postier. Il prend encore des vacances avec des syndicalistes dans les monts du Harz, près de la frontière avec la Tchécoslovaquie. Il me raconte de manière lapidaire l'extase de ses compagnons staliniens britanniques devant la beauté des paysages, inconscients des lacs pollués à leurs pieds. Des bruits courent d'Est-Allemands qui traversent à flots la frontière avec l'espoir d'atteindre l'Occident. C'est à ce moment-là que la Hongrie laisse entrer les touristes de la RDA. Hegyeshalom devient la fissure qui déchirera l'Est.

En octobre 1989, je retourne à Paris, où je dois passer neuf mois à mener des recherches sur mon poète, Guillevic. Je me trouve dans un appartement situé porte Dorée, tout près du bois de Vincennes. Je le partage avec Jean-Louis, un Chilien artiste et buveur qui prétend avoir porté des armes pour la résistance à Pinochet, et Dennis, un Californien également assoiffé.

Le mouvement contre le communisme prend de l'élan. Devant le Kirche de Leipzig, de plus en plus de manifestants se rassemblent : « *Wir sind das Volk !* » La Tchécoslovaquie et la Bulgarie sont sur le point de s'ébranler. Malgré les efforts pour me distancier du « stalinisme », j'ai toujours un pied dans les décombres. Ainsi donc, quand Dennis laisse allumée sa radio la nuit, qui répète toutes les cinq minutes l'effondrement du système communiste, je le prie de l'éteindre. Ce qu'il ne fait pas. Je pratique du yoga dans un centre de loisirs. Avant chaque séance, je regarde le JT de 20 heures. Un sourire triomphant aux lèvres, l'animateur annonce la victoire de la liberté. Déchiré, je descends au gymnase afin d'entendre la prof nous inciter à nous déconnecter et à oublier nos soucis quotidiens.

Une tragi-comédie se déroule. Des apparatchiks est-allemands comme Egon Krenz et Markus Wolf, qui ont attendu patiemment le départ de leurs supérieurs à la retraite, se trouvent tout près de saisir un pouvoir que le *Volk* a rendu presque insignifiant. Les médias accueillent cela avec suffisance, proclamant la victoire du libéralisme et même la fin de l'Histoire, se moquant des illusions défaites des intellectuels communistes.

L'écroulement de l'édifice communiste engloutit toute mon existence. Dans le métro pour la Sorbonne ou la Bibliothèque nationale, je ne vois que des panneaux d'affichage annonçant « la mort du communisme ». Assis à la Bibliothèque nationale, hanté par les fantômes de Marx et de Lénine, je lis et écris sur l'engagement communiste de Guillevic dans la période d'après-guerre. En tant que haut fonctionnaire, il a participé aux ministères communistes dans le gouvernement de la Reconstruction, mais a été rétrogradé avec le début de la guerre froide. En tant que poète, il s'est dévoué à la Cause. Avec ses vers, il devient un porte-parole du Parti qui mène la lutte pour l'émancipation humaine. Ses poèmes de cette époque évoquent l'évolution révolutionnaire de la société, opposant « nous » à « eux », qui débouchera inévitablement sur l'avenir radieux des lendemains qui chantent. Il a attaqué les violations des droits de l'Homme aux États-Unis, tout en couvrant d'éloges Staline et l'aurore soviétique. Ce zèle le pousse même à abandonner son style particulier en vers libre pour les rigueurs traditionnelles du sonnet. Avec cette poésie nationale inspirée par Louis Aragon, il participe à la « liquidation de l'individualisme ». Puis arrive l'année 1956. Le rapport secret de Khrouchtchev, démasquant le Petit Père des peuples, l'ébranle et le réduit même à quelques années de silence poétique. Mais il reste au PCF, qu'il finit par abandonner en 1980, en protestation contre l'intervention soviétique en Afghanistan.

Je prends rendez-vous avec lui, dans son appartement de la rue Claude-Bernard, à la limite du Quartier latin. Il est étrange de serrer la main si douce de ce petit homme qui ressemble à un gnome à lunettes, que j'ai vu si souvent sur des photos et sur lequel j'ai déjà tant lu. Il m'amène dans son bureau, encombré d'objets de sa longue carrière : un dessin de lui par Picasso ; un tableau de Braque, un autre ami ; d'innombrables livres et revues ; des presse-papiers en pierre qui rappellent les menhirs et les dolmens de sa Bretagne natale.

Il a désormais quatre-vingt-deux ans, et du mal à parler clairement, mais il est très lucide, avec une mémoire vive : Simone de Beauvoir reste pour lui « une pisse-froid », Jean-Paul Sartre « sympathique », Albert Camus « arrogant », Pierre Drieu La Rochelle « regrettait sa collaboration », et Antonin Artaud,

qu'il a visité dans l'asile d'Ivry, « n'était pas fou ».
Concernant les extrêmes de son engagement communiste, ils semblent insupportables aujourd'hui, mais, à l'époque, Staline symbolisait la lutte contre le fascisme. Il est attristé par les développements à l'Est, mais reste le partisan d'un « socialisme humaniste » et pense avec une certaine inquiétude à ses amis poètes du bloc, dont il n'a pas eu de nouvelles. Quant au PCF, il juge Marchais « imbécile » et croit que le Parti n'a pas rompu suffisamment avec le stalinisme. Sa femme Lucie entre dans le bureau et me serre la main. Je lui dis qu'on parle communisme. Elle s'agite :

— Eugène est comme un enfant. Il est naïf. Il s'est dévoué au Parti comme il le ferait à ses parents !

Guillevic hausse les épaules et sort clopin-clopant vers les w.-c.

J'ai adhéré à la cellule locale du PCF. Tandis que le Parti communiste britannique a entamé un débat de grande envergure — et, au bout du compte, autodestructeur — sur le stalinisme, le PCF reste notoire pour ses sympathies moscovites. À une réunion vers le début de novembre, dans un petit bureau près de la place de la Nation, nous discutons avec le secrétaire du XIIᵉ arrondissement de l'évolution de la situation politique à l'Est. Avec son fort accent méridional, José explique à sa maigre audience la ligne du Parti. « Le Parti, affirme-t-il, s'est déstalinisé il y a longtemps, abandonnant l'idée de la "dictature du prolétariat". Le PCF est une organisation démocratique qui a dénoncé les déficiences des régimes autoritaires à l'Est, et les événements récents lui ont donné raison. Nous ne devons pas désespérer car, chez nous, le capitalisme révèle encore ses contradictions inhérentes, tandis qu'à l'Est s'ouvre la possibilité d'un "second souffle dans le socialisme ". »

Ce pronostic optimiste de José suscite des réactions diverses des camarades présents. Une prof de collège et son fils, dont les traits gras et pendants correspondent à leurs caractères dolents, remarquent avec amertume que la sclérose bureaucratique de l'Est suggère que Trotski avait toujours eu raison. Ils constatent avec horreur que la Perestroïka de Gorbatchev a entraîné un glissement vers l'économie de marché. Une vieillarde frénétique parle sans discontinuer de sa vie passée :

— Nous habitions une petite ferme en Picardie. Nous devions marcher des kilomètres pour aller chercher de l'eau. C'était dans les années trente. Et j'entends des gens parler des files d'attente à l'Est !

La discussion sombre dans un flot de souvenirs qui justifient les engagements du passé mais qui ne s'adressent pas à la situation actuelle. Un autre vieux camarade, qui a adhéré au Parti au moment du Front populaire, et participé à la Résistance, déclare de sa voix tremblante :

— Il faut communiquer la politique communiste au peuple ! Le Parti doit créer une station de radio pour donner une autre version des événements !

José secoue la tête, touché mais gêné. Mes yeux rencontrent ceux d'une jolie blonde, Mireille, du lycée Paul-Valéry, qui me sourit. Qu'est-ce qu'elle fout ici ? Je fais ma petite contribution :

— Il est évident que le socialisme réellement existant a échoué. Il n'a pu nourrir le peuple, et lui a nié des droits fondamentaux. Il est temps que le PCF reconnaisse ce fait, et qu'il déstalinise sa structure et son programme.

Ces propos choquent quelques-uns des camarades. Une femme s'efforce de me protéger :

— Il est écossais. Sa maîtrise du français n'est pas parfaite. Je suis sûre qu'il ne veut pas dire ce qu'il vient de dire.

Une discussion confuse, décousue et émotive continue jusqu'à l'épuisement. En rentrant, Jean-Louis m'annonce que le Mur de Berlin est tombé.

Le lendemain, afin de mettre un peu d'ordre dans mon esprit, je me promène dans un de mes lieux mélancoliques de prédilection, le cimetière du Père-Lachaise. Je m'assieds sur un banc devant le mausolée d'Adolphe Thiers. Les feuilles des arbres sont en train de tourner rouges et brunes. Un chat noir fait du charme pour gagner un morceau de mon sandwich au jambon. Mon exemplaire de *L'Humanité* fait bonne contenance devant ce qui vient d'arriver. Selon l'éditorialiste, c'est une percée pour le socialisme démocratique, mais il évoque également la menace de l'ingérence occidentale. Mais, à mes yeux,

cela marque, sans doute, la fin de l'ordre communiste. Tant que le Mur reste intact, il y a la possibilité
pour les « purs et durs » de freiner le cours des événements. Avec cette brèche dans le Mur, les *Ossies*
dans leurs Trabant bouchent les rues nanties de Berlin-Ouest, se heurtant aux Mercedes rutilantes. Un
cordon sanitaire est tombé, un couvercle a été enlevé,
toutes sortes d'énergies économiques politiques sont
déchaînées. Il m'est impossible de voir les communistes est-allemands surmonter cette crise. Soute-
nus depuis trop longtemps par la puissance militaire
de l'URSS et la collaboration maussade de leurs
citoyens, des régimes fondamentalement faibles rencontrent les protestations insolentes et hurlantes des
masses réveillées.

Pourtant, me dis-je, la dialectique pourrait bien
se retourner contre l'Occident. Car la logique économique de notre prospérité se voit sapée par l'impéra-
tif écologique. Le rêve moderne de l'abondance, qui
a motivé le communisme comme critique interne du
capitalisme, se trouve confronté à une crise de repro-
duction. Sûrement, le jour viendra où le renversement
d'un dictateur ne suffira pas, où le peuple lui-même
sera obligé de rentrer à la maison et de se débarrasser
des voitures et des frigos ?

Mais ces sombres pensées n'animent pas les popu-
lations qui nous ont rappelé de manière si spectaculaire la présence et la cruauté de l'Histoire. Je me lève,
faisant mes adieux au chat, et me dirige vers le coin

nord-est du cimetière : le mur des Fédérés où, selon la légende, les derniers communards furent fusillés par les troupes de la réaction versaillaise ; les monuments à la mémoire des victimes de l'Holocauste, les tombeaux de Maurice Thorez, Paul Eluard, colonel Fabien et d'Adrien Lejeune, le communard, décédé à Novossibirsk, Sibérie, en 1942. Tant de destins qui me rappellent la grandeur du mouvement communiste, les épreuves qui justifiaient sa passion, mais qui suggèrent aussi la futilité et la nature erronée de leurs rêves.

À la Mutualité, arène traditionnelle du débat politique, les dirigeants communistes s'exposent aux critiques des camarades et d'invités non communistes. Roland Leroy, directeur de *L'Humanité*, et Francette Lazard, du Bureau politique du PCF, nous assurent, sur le ton implacable de la langue de bois, que la situation actuelle est lourde d'un potentiel révolutionnaire. Pour Claude Julien, directeur du *Monde diplomatique*, le système communiste n'offre que « la sécurité dans la médiocrité ». Ce qui n'est peut-être pas si mal, car Julien nous fait frissonner avec sa prédiction que l'hiver verra des émeutes de la faim en URSS. Serge July, de *Libération*, que Leroy avait exclu du Parti dans les années soixante, méprise l'interprétation pro-communiste et anti-occidentale de celui-ci, mais s'exclame :

— Je ne m'en réjouis pas. C'est la fin du plus grand rêve du XXᵉ siècle !

À un autre débat, cette fois sur l'économie socia-liste, Philippe Herzog, polytechnicien et membre du Bureau politique, est hué par des membres de l'assis-tance :

— Les mineurs soviétiques font la grève pour obtenir un petit morceau de savon. Que diriez-vous si les mineurs du Pas-de-Calais devaient faire la même chose ?

Herzog hoche la tête, et répond d'un air penaud que la construction du socialisme a bien montré des défauts.

Il fait très froid en novembre 1989. La neige tombe dru sur Prague, un site pittoresque, presque féerique, pour une révolution. Des milliers de jeunes font face à la brutalité policière pour renverser un gouverne-ment qui a trahi les espoirs du Printemps de 1968. Et pourtant, il faut le dire, beaucoup de gens, sur-tout de la classe ouvrière, n'ont pas rejoint ces défi-lés triomphants. Dans notre appartement de la rue du Colonel-Oudot, on garde des espoirs pervers, ali-menté par les boissons « maison », Budweiser Budvar et Stolichnaya pamplemousse, et accompagné par un chat sauvage baptisé Gorbie, en hommage à Mikhaïl.

— Ces Pays baltes vont se casser la gueule ! affirme Jean-Louis.

Je me promène seul dans le bois de Vincennes, à retourner dans ma tête ces événements. Suis-je sur les traces de Jean-Jacques Rousseau ? Et ce Rous-seau n'est-il pas coupable de certains excès de la

« modernité » ? La déification de la Raison, l'obligation contractuelle entre citoyen et État ? Et pourtant, c'est précisément cette croyance en la Raison qui sert d'arme contre l'obscurantisme séculier et religieux. Peut-être aussi que le « bon sauvage » fournit un contrepoint aux échecs de la société industrielle et urbaine. Je suis tellement absorbé dans cette rêverie que je ne suis pas conscient des hommes d'un certain âge qui s'exhibent dans le crépuscule.

Mi-décembre, par train et ferry, je retourne à Londres pour la dernière fête de Noël de l'ambassade est-allemande dans Belgrave Square. C'est un cadre digne de John le Carré : le centre boisé et obscur du square, où on imagine des échanges de valises. À l'intérieur, l'ambassade est somptueusement décorée. En entrant, vêtu d'un jean délavé, je suis accueilli par l'ambassadeur, qui a l'air décidément misérable. On nous offre un banquet de caviar, de fruits de mer et d'autres délices, et un valet à la mine épuisée nous sert du champagne et des schnaps.

« Nous » sommes les membres de la dernière délégation en RDA. Un à un, les personnages reprennent la scène : John, Sean, Norman (en bretelles et panama). David nous confie combien il a « vieilli » depuis juillet. Sean parle sur un ton moqueur des staliniens qu'il a dû supporter lors de son dernier séjour en RDA. Malheureusement, Frank et Mikhael, nos camarades de la section internationale du Comité central, ne sont pas là. Que deviendront-ils dans ce nouveau monde ? La plupart des diplomates — nombre d'entre eux fatidiquement jeunes — déguerpissent. Sans doute se demandent-ils qui cette étrange bande de Britanniques moches et mal habillés pourrait bien être. Un seul reste, un monsieur aux cheveux blancs et aux dents de lapin. Évidemment ivre, il nous parle de la terrible trahison de Honecker. Puis nous partons chancelants en la quête d'un pub. On ne reverra jamais l'ambassade.

À Noël, une révolution télévisuelle a lieu. À Bucarest, au balcon du siège du Comité central, Ceausescu voit la foule se retourner contre lui (ou c'était l'image). Toutes les minutes tombent des nouvelles de massacres dans les villes de la Roumanie. Shelley, ma coiffeuse à Galashiels, me dit :

— Ça vous fait apprécier combien on est chanceux !

Des images de cadavres exhumés, surtout celle d'une jeune femme portant un bébé sur le ventre, choquent. Puis il y a le procès et l'exécution des Ceausescu. « Mort d'un dictateur » fait la une du *Daily Record*. Ces vampires n'ont-ils pas ce qu'ils méritent ? N'est-ce pas un beau cadeau de Noël ?

Le dernier domino est tombé. Je descends la vallée, jusqu'au pub local, The Golden Lion, portant sur les épaules le poids de l'histoire du bolchevisme. N'y aurait-il pas une grandeur délicieuse dans cette douleur ?

— Gavin doit aller mal, dit quelqu'un à Jimmy.

— Je m'en fous, répond-il. Tout ce qui m'intéresse, c'est la picole et la baise.

Simon est là aussi. Il a abandonné ses études pour
suivre les spartacistes jusqu'à Berlin-Ouest, où il est
devenu soudeur dans le quartier de Kreuzberg. Il n'a
pas dansé sur le Mur brisé : « Ça, c'était pour les touristes. » Il n'a pas abandonné le trotskisme, et s'est
engagé dans la nouvelle lutte contre le « revanchisme
allemand » à l'Est. Entre-temps, en scrutant le pub
plein de fêtards, il demande s'il y a des « filles à sau-
ter ».

Je comprends bien la remarque de Jimmy. Ma
croyance en « l'avenir » et mon mépris de la déca-
dence de la civilisation occidentale ne sont-ils pas une
excuse pour l'inhibition sociale ? N'est-ce pas narcis-
siquement que je rumine la catastrophe du socialisme
réellement existant ?

« Il faut être complètement con pour être marxiste ! »

À la Sorbonne, j'assiste à des séminaires de Kenneth White sur « La poétique du monde ». White a obtenu un diplôme de français à l'Université de Glasgow vers la fin des années cinquante, et passé la dernière décennie en France, où il est bien plus célèbre comme écrivain que dans son pays natal. J'ai découvert son œuvre pendant l'été 1989. Immédiatement, elle me tient. Cette préoccupation de l'écologie, ce dédain du techno-fascisme de la modernité, m'attire et fait écho à l'œuvre de Guillevic ; qui a évolué, depuis le stalinisme, vers une vision de l'homme « impliqué dans le réseau de l'être ». Il faut « quitter l'autoroute de l'Histoire ». White a un côté hippie dont se méfie mon caractère punk. En outre, son projet du « Monde blanc » est plus qu'un tantinet narcissique. Mais il est passionnant d'écouter pendant deux heures cet homme développer vigoureusement son train de pensée, mélangeant zen, physique quantique, Nietzsche et poètes Beat. White irradie un sens de l'humour et un bien-être qui contrastent avec la morosité du mouvement communiste. En même temps, il retient un scepticisme sain sur le « triomphe de l'Occident » et « la fin de l'Histoire » proclamée par Fukuyama.

À ce séminaire je rencontre une fille. Nous nous sommes vus pour la première fois dans la cour de la Sorbonne, où j'accepte de lui apporter mes notes du séminaire. Puis, après un certain temps d'hésitation, dans le square du Vert-Galant, je fais d'elle, maladroitement, ma petite amie. Pour nous deux, c'est la première relation « sérieuse ».

Mais qui voudrait coucher avec quelqu'un qui n'arrête pas de penser à la chute du Mur de Berlin ? Ne suis-je pas mou quand j'essaie pour la première fois de lui faire l'amour ? Elle me regarde, souriante et secouant la tête, pendant que je raconte mon angoisse idéologico-géopolitique. Étudiante en histoire, Claudine me dit hargneusement :

— Il faut être complètement con pour être marxiste !

Elle est d'un milieu résolument BCBG : elle habite une chambre de bonne à Passy ; beaucoup de ses amis sont de l'Action française et portent une fleur de lys sur le revers de leur veston de tweed. C'est avec des sentiments de rejet que je quitte Paris, vers la fin de mars 1990, pour un tour des ruines du socialisme réellement existant.

Le système communiste a été fauché. Il est une cible facile pour les quolibets. Une fois la couverture autarcique éclatée, notre pouvoir d'achat pourra désormais jouer avec le bloc déchu. Le règlement pudibond de la vertu socialiste cédera à la force insolente de la « libération sexuelle ». Un déferlement de porno et de tourisme sexuel à prix réduit. Dans le métro, juste avant d'arriver à la gare de l'Est, des hommes américains fanfaronnent :

— Faut aller au quartier chaud de Budapest. Il faut un cure-dents pour enlever les poils pubiens !

Je séjourne encore une fois chez Ilona, dans la rue Ernst-Thaelmann, et suis ma routine de Budapest : restaurants et thermes. Ilona ne déteste pas les communistes. Il y a plutôt un désir de *tourner la page*. Je l'accompagne au bureau de vote pour les premières élections libres. Ilona tient encore à moi. Aidé par une bouteille de vin que j'ai apportée de France, nous faisons l'amour. Après, elle pleure un peu, parlant de sa solitude, de son incapacité d'avoir un enfant. Le lendemain elle me demande de prononcer des paroles dans un magnétophone, pour aider à son apprentissage de l'anglais : *pit-bit-pat-bat*.

Je me demande si c'est moins pour apprendre la monnaie linguistique de l'ordre nouveau que pour capter ma voix.

Ilona est ahurie d'apprendre que je pars pour la capitale de la Roumanie. Pour elle et d'autres Hongrois, ce pays est un nid de tricheurs et de criminels violents. En plus, on persécute les Magyars de la Transylvanie. Mais je m'en vais. On ne se reverra jamais.

La Roumanie retient certains des frissons prisés par un voyageur occidental : au petit matin, pendant qu'on traverse la frontière, une policière frappe à la porte. Un quart d'heure plus tard, on me contrôle encore une fois. Puis je me réveille pour voir les splendides Alpes transylvaines et des villages pittoresques avec des maisons en bois que j'imagine quand même écrasés par la nécessité. Des Roumains joviaux sillonnent les couloirs, faisant la queue pour des boissons, pénétrant du regard les compartiments.

À Brasov, un vieillard me demande en anglais s'il peut me rejoindre. Immédiatement il me raconte sa vie. À la fin de la guerre, étudiant anticommuniste, il fut envoyé pour cette raison dans un camp de travail. Après sa libération, il n'a pas eu le droit d'occuper un emploi. Donc il apprend l'anglais sur le BBC World Service et gagne sa vie avec des cours particuliers.

Il se tourne vers les élections législatives. À son sens, le Front de salut national d'Ion Iliescu a acheté le soutien d'une classe ouvrière ignare avec des améliorations matérielles comme l'approvisionnement d'œufs dans les magasins.

— Les ouvriers, crache-t-il, sont des imbéciles. Le communisme est le plus grand désastre de l'histoire humaine !

Je ne dis rien.

En arrivant à la Gara de Nord de Bucarest, il insiste pour m'aider à trouver mon hôtel. Sur le quai, des échangeurs d'argent attendent. Un homme bien charpenté et mal rasé m'arrête.

— D'où venez-vous ?

— De l'Écosse.

— J'étais capitaine de l'équipe de rugby roumaine. J'ai joué à Murrayfield. Je vous offre un taux d'échange aussi haut que Ben Nevis !

Il a besoin de *valuta* pour un stage d'entraînement en France. Peut-être qu'il dit la vérité : après tout, les équipes nationales de foot et de rugby sont étroitement liées au régime, et subiraient les conséquences de sa chute. Mais mon vieux compagnon me pousse à continuer et nous prenons un taxi pour le centre-ville.

En arrivant sur le boulevard principal, nous nous trouvons mêlés à un grand désordre. D'un bout du boulevard vient un cortège scandant « Vive Iliescu ! », de l'autre des manifestants en colère criant « À bas Iliescu ! ». Devant nous, les deux cortèges se rencontrent et commencent à s'empoigner.

Je dois trouver l'agence des chemins de fer pour réserver ma place pour Belgrade. Je n'arrive pas à la repérer. Donc je demande poliment en français à un marchand de journaux. La femme derrière le comptoir ne sait pas. Mais un homme trentenaire s'approche et offre de m'aider.

Adrian est chercheur en biochimie. Certes, il a

été membre du Parti, « mais seulement pour avancer dans ma carrière ». Il baisse la voix pendant qu'on passe devant l'immense édifice du siège de la police secrète. Il m'invite chez lui en banlieue afin de changer de l'argent. Il lui faut des dollars pour une visite d'études aux États-Unis. Nous prenons donc un car délabré vers des quartiers de béton gris, passant devant une gigantesque soupe populaire qui ressemble à un vaisseau spatial.

Sa famille m'offre un festin impromptu de sandwichs au salami et d'eau de prune. Sa femme, Elena, est prof d'anglais dans un collège secondaire. Pour elle, la littérature anglaise a fini avec *Ulysse* de James Joyce.

— Qu'est-ce qui s'est passé depuis ? demande-t-elle.

Je promets de lui envoyer des livres, y compris *1984* de George Orwell.

Je leur explique que je viens de Hongrie. Ils expriment leur amertume :

— Les Hongrois nous volent nos droits ! En Transylvanie on peut parler seulement le magyar. Ils oppriment le peuple roumain !

Ce soir-là, la Gara de Nord est noire de monde. Une population entière semble en mouvement. Mais j'arrive à trouver mon compartiment et essaie de dormir un peu. Le matin, le train arrive à Timisoara, site du massacre notoire qui a déclenché la révolution. Des centaines de Tsiganes prennent d'assaut les wagons. Les passagers roumains aident ces gens à la peau basanée et aux couleurs bariolées à grimper par les fenêtres. Bientôt, tout le plancher du compartiment est plein d'une famille étendue.

Il s'ensuit un voyage infernal jusqu'à la frontière yougoslave, les genoux contre la poitrine. Les Tsiganes se disputent entre eux. Ils ont l'air brutal et brutalisé et mangent à la cuillère de la viande en boîte qui ressemble à une mauvaise pâtée pour chats. Ils sont fascinés par la fraîcheur de ma peau.

— Elle dit que vous êtes très beau, m'interprète un Roumain pour la matriarche.

En fait, la famille veut que j'épouse leur fille aînée. Elle est jolie malgré le sort de son peuple. Ce sera la seule offre de mariage dans ma vie.

Une crampe m'envahit. Les femmes et les enfants pleurent. Mais mon « interprète » roumain, de Constantza, sur la mer Noire, reste gai. Il va à Belgrade pour les vacances. Il me demande de lui montrer un dollar pour voir comment c'est. Surmontant ma méfiance initiale, je lui en tends un, qu'il scrute de près, avant de me le rendre.

Belgrade est donc un soulagement énorme. Une ville moderne et propre. De jeunes gens beaux et bien habillés. De grosses voitures. Des immeubles scintillants que ma fatigue semblait magnifier. L'auberge de jeunesse est la plus luxueuse que j'aie jamais connue. En y arrivant, je commande un Pepsi-Cola pour lever un toast à l'Occident.

En direction de Venise, j'ai comme compagnie dans mon compartiment un jeune Yougoslave. Il ne partage pas mon point de vue sur la Yougoslavie communiste désormais libérale et modernisée par rapport au reste de l'Europe de l'Est. Il se plaint de la corruption qui pourrit son pays. Les dirigeants ne sont pas des socialistes mais plutôt des *mafiosi*. Pour cette raison, il est content de vivre et travailler en Italie.

De retour à Paris, Claudine m'accueille bras ouverts et avec des baisers. Plus tard dans ce printemps, à la Mutualité, Gregor Gysi, nouveau leader du PDS, successeur du SED, coupe le souffle aux derniers adhérents de l'Association France-RDA, en déclarant que l'Allemagne de l'Est « n'a jamais été un pays socialiste ».

Fin du Parti

À l'automne 1990, j'ai encore envie de rompre avec la « modernité » et sa politique. Selon notre gourou Kenneth White, il faut abandonner l'historicisme pour reprendre contact avec « l'espace ». Il faut redécouvrir la « Terre » et apprendre à « lire ses lignes ». Il faut une vision *biocosmopoétique*. De retour à St. Andrews, je fais la connaissance d'une autre fille de son séminaire à la Sorbonne. Avec Anne, j'explore les Highlands et les îles, découvrant des lieux « sauvages » dans sa Renault 4 Savane. Montagnes couvertes de neige. Tous ces lochs et ces détroits. Le silence dur et froid de la lande de Rannoch en décembre. L'odeur de pluie, de bruyère et de cirés Barbour. On pourrait y trouver un espace pour respirer, où se révéleraient les contours d'une terre pré-humaine.

Mais un tel refus du « social » en faveur du « cosmique » me laisse sur ma faim. Ma compagne, qui a une vision assez romantique de l'Écosse — « même les vaches sont plus sympathiques ici ! » —, ne voit pas les rapports de pouvoir inscrits dans ces espaces « déserts » sous forme de plantations de sapins, de murets et de parcs à moutons. La « beauté essentielle » des collines nues a été produite par la déforestation et les expulsions perpétrées par les grands propriétaires. En plus, je me méfie du cercle bohémien de disciples de White qui se réunit dans un pub de Glasgow pour discuter de sujets tels que la poésie taoïste et l'écologie de l'esprit — « est-ce que les pierres pensent ? » s'interroge un fidèle. La plupart des membres de ce groupe sont d'anciens marxistes, et semblent avoir choisi une nouvelle forme de révolte contre leur société. Ils sont impatients de lire des traductions en anglais des nouveaux essais de leur gourou. Il me semble que cette préoccupation justifiée de l'avenir de la « Terre » devrait être liée à un intérêt pour les relations humaines qui médiatisent notre contact avec la « Nature ». « Il n'y a que la poésie », dit Kenneth. Mais j'en viens à conclure que la « géopoétique » ne peut se passer de la géopolitique. Déçue, Anne me largue : « Tu es un homme très limité. » À la Sorbonne, Kenneth me traite de « marxiste aux pieds lourds ».

Les lumières s'éteignent dans le monde communiste, mais je veux y rester jusqu'au bout. L'Union soviétique reste nominalement socialiste. Je veux la revoir avant sa disparition. En mars 1991, je participe donc au dernier voyage d'études organisé par Progressive Tours Ltd. À Moscou, au siège du Komsomol, nous passons de longues heures à écouter des spécialistes stressés décrire et discuter de la déliquescence du pays de Gorbatchev, avant de sortir dans une capitale en proie aux tensions politiques et sociales.

À Leningrad, le dernier jour du voyage, les tensions explosent, comme les guides — « démocrates, pas communistes » — veulent nous montrer encore des églises et des icônes. Toujours socialistes et athées, nous en avons marre. Un coup d'État a donc lieu dans le car. Nous nous résolvons à faire la Révolution russe à l'envers, comme si cela pouvait inverser le cours de l'Histoire. Le chauffeur met le cap sur le musée Lénine, puis le palais d'Hiver, où nous essayons de prendre d'assaut les portes. Finalement, chacun achète sept œillets rouges, que nous déposons au pied de la statue de Lénine devant la gare de Finlande. Une babouchka russe se plaint que les gens n'ont plus de respect de nos jours, puis s'éloigne en secouant la tête.

Ce soir, au restaurant Troïka, les guides nous ont promis « beaucoup de *Na Zdorovie* ». Sur le chemin de la boîte, radio Isvestia annonce que le Parti communiste britannique a décidé de s'autodissoudre.

La Troïka est habitée par des gangsters riches et louches. Nous mangeons et buvons comme des tsars. Un spectacle de pop russe rappelle le minimalisme des Folies Bergère, où figurent des danseurs ratés du Kirov. Notre groupe saisit la scène. Les énergies se déchaînent dans une insurrection dionysiaque des corps. Je me trouve pressé contre un radiateur par Vanessa, employée municipale de Birmingham. Elle se baisse. Levant les yeux au plafond, je me dis : voici la fin du socialisme !

Rentrant dans un Iliouchine volumineux, nos pauvres têtes se penchent sur les contradictions inhérentes de la nuit précédente. En atterrissant, je repense au Professeur de la Théorie du Socialisme :

— Quand nous avons dit que nous étions des anges, avez-vous regardé si nous avions bien des ailes ?

Bienvenue dans le monde de Houellebecq

En juillet 1994, je me trouve dans le parking de la Cité-Radieuse, à Marseille. À l'ombre du temple moderniste de Le Corbusier, Gerhard Jacquet, gérant des *Lettres françaises*, me donne un livre en cadeau de départ :

— Voici le meilleur jeune poète en France aujourd'hui.

Il s'agit d'une mince plaquette, *La Poursuite du bonheur*. L'auteur : Michel Houellebecq.

Au bout d'un voyage de rêve en TGV, je trouve une chaise dans le Jardin du Luxembourg, dégaine le livre et tombe amoureux de cette version contemporaine du duo spleen/idéal, avec ce premier alexandrin parfait :

« D'abord, j'ai trébuché dans un congélateur. »

Avec humour et mélancolie, banalité et lyrisme, dans un style paradoxalement désuet et contemporain, le monde de Houellebecq peut se résumer en trois « s » : solitude, souffrance et solution. « L'âge adulte, c'est l'enfer », mais il reste le désir baudelairien d'être *anywhere out of this world*.

Un Chateaubriand bolchevique a enfin trouvé son ombre. Je ramène ses écrits à ma nouvelle institution, l'Université de Manchester. Je fais lire aux étudiants « L'amour, l'amour » :

Je m'adresse à tous ceux qu'on n'a jamais aimés,
Qui n'ont jamais su plaire ;
Je m'adresse aux absents du sexe libéré,
Du plaisir ordinaire.

Ne craignez rien, amis, votre perte est minime :
Nulle part l'amour n'existe.
C'est juste un jeu cruel dont vous êtes les victimes ;
Un jeu de spécialistes.

Ils sont visiblement touchés. Debbie, Emma et Zoé ont les larmes aux yeux. Dehors, la pluie tombe dru sur la brique rouge de Manchester, et je me dis que le seul équivalent britannique de Houellebecq serait Morrissey, celui qui a chanté avec The Smiths « Heaven Knows I'm Miserable Now » et « I Never Had No One Ever », celui dont la mélancolie acerbe s'accompagne de piques contre la société contemporaine. À l'instar de l'ancien leader des Smiths, Michel est plein de compassion pour les « mendiants » et les « SDF » qui hantent les rayonnages bariolés de l'hypermarché social. Je constate aussi une différence culturelle importante entre nos deux pays : ici, c'est un chanteur de rock qui véhicule cette vision au grand public ; là-bas, c'est un écrivain.

Je me résous à traduire la poésie de Houellebecq, un nom qu'il me faudra une année pour prononcer correctement. Je l'inclurai dans un numéro spécial de *Lines Review*, une revue de poésie d'Édimbourg à laquelle j'ai contribué avec mes modestes vers. Il va y côtoyer Guillevic, encore vivant — « Ah, Gavin, toujours jeune, toujours beau ! » —, et Jean-Baptiste Para, directeur d'*Europe*, entre autres.

C'est le prétexte idéal pour rencontrer ce génie. Été 1995, je suis à Paris lors du Marché de la poésie. Je m'approche du stand de l'éditeur de *La Poursuite du bonheur*, La Différence. Une femme aimable qui s'appelle Marie-Pierre me donne le numéro de téléphone de l'auteur. Je prends rendez-vous avec lui dans son HLM, rue de la Convention, dans le XVe, l'arrondissement le moins glamour de Paris. Je sonne. J'entends des pas traverser doucement le plancher. La porte s'ouvre. Houellebecq est assez petit de taille, les vêtements et les cheveux un peu en désordre. Il me scrute, puis, après la première d'un millier de longues pauses caractéristiques, m'invite dans le salon.

— C'est un immeuble tranquille, me dit-il.

Il a peu de contacts avec les voisins. Il y a une pétasse en face qui le déteste, mais il a de bonnes relations avec une jeune femme qui travaille dans un magazine pour adolescentes, *20 Ans*. Officiellement,

Michel est toujours fonctionnaire, informaticien à l'Assemblée nationale, et donc au cœur d'un nœud de communication et de représentation. Mais depuis le succès d'estime d'*Extension*, il a pris un congé sabbatique. Il reprendra le travail quand il n'aura plus d'argent et si son projet de gloire littéraire n'aboutit pas.

Il me fait écouter de la musique française contemporaine, surtout de la techno. Entre de longs « hmmm... », nous échangeons des idées sur la musique, la littérature, la politique et le sport. Il me sert des crackers avec du tarama, accompagnés de bouteilles de rosé. Après un certain temps, je dois me lever pour aller aux toilettes. Épinglée au mur une affiche effilochée où figure Snoopy avec les mots : « Vivement les vacances ! »

Des heures ont passé, et il m'invite à dîner dans un restaurant thaïlandais qui vient d'ouvrir dans le coin. La conversation continue. Il évoque les putes de la rue Saint-Denis : vers le nord se trouveraient les meilleures, mais, en général, ce sont des débris humains. En nous observant, les propriétaires doivent se dire qu'ils vont profiter des portefeuilles bien garnis des pédés de Paris. À la fin du repas, on nous offre un verre gratuit de saké. Nous regardons à travers les fonds transparents pour découvrir des adolescents thaïs aux bites énormes. Michel lève les yeux pour me dire :

— Il y a des moments où je trouve la sexualité vraiment déprimante.

À la bouche du métro Boucicault, il me fait au revoir de la main. Assez souvent, il me téléphonera à Manchester, puis à St. Andrews. Les longues pauses sont assez déconcertantes : nous n'avons pas affaire à un animateur de télé à la Fogiel. Je me dis que, pendant chaque pause, je pourrais me faire une tasse de thé sans rien rater d'une conversation avec celui qui est devenu mon auteur préféré tout court. Je suis son premier groupie outre-Manche. Il me dit :

— Pour un groupie t'as beaucoup de handicaps.

— Merci.

Houellebecq semble articuler la crise de la France des années quatre-vingt-dix : la « fracture sociale » observée par Emmanuel Todd et exploitée par Jacques Chirac ; la méfiance de la globalisation, du « libéralisme » — gros mot français — et de l'Europe, grand projet de Mitterrand qui ne fait que creuser l'écart entre « le peuple » et « les élites ». Houellebecq trouve également ses racines idéologiques dans le communisme. Dans le resto thaï, il avait parlé de sa tendresse pour *Pif Gadget* et Georges Marchais :

— C'est un truc de génération, je crois. Taisez-vous, Elkabaaaach !

Début 1998, je suis de retour à St. Andrews. Le téléphone sonne. Il est 6 heures du matin et il n'y a pas de chauffage. Je quitte le confort relatif de mon lit et traverse le plancher gelé. Cela ne peut être qu'une seule personne au bout de la ligne.

— J'ai envie de te voir. J'ai arrêté de boire. Mon comportement devenait dégueulasse. Je buvais dans les verres des autres.

En tant qu'Écossais, je me demande si cela est une bonne astuce pour faire des économies.

Michel change brusquement de sujet. Cette nuit-là, il vient de finir le manuscrit de son roman. Je lui demande, les dents claquant :

— Il a un *happy end* ?

— Hmmm. Oui… en quelque sorte.

Il s'agit rien de moins que de la disparition de la race humaine.

Je n'apprends rien de plus sur le roman, ni le titre ni l'intrigue, jusqu'à ce que, vers la fin du mois d'août, un paquet tombe sur le paillasson de mon cottage à Crail, village de pêche tout près de St. Andrews. Ce sont *Les Particules élémentaires*, avec une dédicace lapidaire : « À Gavin Bowd, pour l'aider à passer de bonnes vacances, un auteur épuisé. Amicalement, Michel Houellebecq. » Je sors, m'installe sur la terrasse du Fisherman's Tavern avec une pinte de cidre, et dévore ce beau et dérangeant *page-turner*.

À sa manière, Michel y continue son réquisitoire contre le libéralisme. La libération sexuelle s'inscrit dans une marchandisation et une atomisation de la société. Mais, comme anticipée dans un poème du *Sens du combat*, l'utopie sera trouvée sur la Sky Road,

Clifden, Irlande, où Michel Djerzinski s'installe pour mener à une conclusion ses recherches scientifiques et sa vie. C'est à l'extrême limite du monde occidental (en bon Français, Michel efface les États-Unis) que Djerzinski réussit à appliquer la mécanique quantique à la biochimie afin de rendre possible la création, par le clonage, d'une « nouvelle espèce, asexuée et immortelle, ayant dépassé l'individualité, la séparation et le devenir ». Voilà donc le *happy end* que l'auteur m'avait promis en janvier dernier.

Ce best-seller n'est certainement pas du goût de tout le monde. Michel se fait excommunier de la *Revue perpendiculaire* après une interview/procès de sorcier menée par un certain Jean-François Marchandise, entre autres. Il y appelle à une conversion massive au bouddhisme, un retour rapide au matriarcat, considère le racisme comme un pur problème de démographie africaine, et trouve « sympathiques » les intégristes catholiques. Pour les anciens collaborateurs de Houellebecq, et ils ne sont pas seuls, le nouvel enfant terrible — comme on commence à dire dans le monde anglo-saxon — est encore un exemple des rapprochements « rouges-bruns » qui se nouent dans les ruines post-communistes. Dans *Le Monde*, on assimile Michel à un nouveau courant nihiliste et *trashy* où l'on trouve, entre autres, la belle et dépravée Virginie Despentes, auteur de *Baise-moi*. Au Salon du Livre de la Fête de l'Humanité, Michel signe son ouvrage pour une foule qui se renouvelle sans cesse, tandis que, pendant une table ronde, un écrivain dont j'oublie le nom déclare le roman « surfait ». Un tel succès populaire ne serait qu'un coup de marketing, et donc indigne de l'étiquette de « littérature ».

Je suis invité à dîner dans son nouvel appartement, qu'il partage avec sa femme Marie-Pierre. Ils viennent de se marier « selon le rite catholique » (bien qu'ils soient des divorcés). J'ai apporté une bouteille de Laphroaig. Michel arrive un peu en retard et attaque immédiatement ce whisky tourbeux. Il vient de faire un casting pour l'adaptation à l'écran d'*Extension du domaine de la lutte*. Philippe Harel en est le réalisateur et l'acteur principal.

Michel évoque la victoire des Bleus dans la Coupe du monde, la foule en liesse qui remplissait la rue en bas.

— Emmanuel Petit !

Je fais le constat que les Bleus gagnent toujours quand il y a des ministres communistes au gouvernement : on a gagné le championnat d'Europe en 1984 (et les Bleus répéteront cet exploit en 2000, toujours en pleine « gauche plurielle »). Mais je cite les propos de Maradona, selon qui le Mondial est toujours truqué en faveur du pays hôte.

— On ne va pas écouter ce vieux drogué !

Moi, j'ai connu un Mondial plus contrasté. J'ai profondément déçu Claudine en lui exprimant mon anticipation enthousiaste de cet événement : ainsi, je tomberais au niveau des collégiens crétins de Créteil à qui elle a le malheur d'apprendre l'histoire de France. « Je te souhaite une bonne année 1998 sous le signe du… football. » C'est sa lettre d'adieu. Mais je serai ravi de voir John Collins, un ami de Galashiels, marquer le premier but de l'équipe écossaise contre… le Brésil !

Je n'ai jamais vu Michel en si bonne santé. Même sa chemise, qui n'est pas cette fois de Monoprix, est propre et bien repassée. J'y détecte la trace d'une main féminine. On se met à table. C'est la première fois que je le vois manger de la salade. Le repas qui suit est délicieux : Michel a de la chance de connaître Marie-Pierre. Radieux, il me déclare enfin :

— Maintenant que je suis célèbre !

Bientôt le ménage s'installera en Irlande « pour le reste de nos tristes vies ».

Une année en Val-de-Marne

En septembre, maintenant lecteur de langue anglaise à la Sorbonne Nouvelle, je trouve un studio à Choisy-le-Roi, en Val-de-Marne. Ville natale de Paul Nizan, ancienne circonscription de Victor Hugo (et dernière redoute de la bande à Bonnot), la ville constitue un des derniers lambeaux de la ceinture rouge. Les élus communistes Hélène et Louis Luc veillent sur les habitants. Lors d'un meeting du Parti, André Lajoinie vient me serrer la main. J'emprunte des livres à la bibliothèque Aragon et regarde des films au Théâtre Paul-Eluard. La statue d'un autre Choisilien, Rouget de Lisle, auteur de *La Marseillaise*, fait face à l'hôtel de ville. Ce sera l'année la plus heureuse de ma vie.

À la Fête de l'Humanité, Georges Marchais est encore là. Johnny Hallyday suivra Jojo, assurant une forte audience à la Grande Scène. Voilà deux mastodontes de la vie politique et culturelle de la France. Hallyday est passé par toutes les modes, du rock'n'roll au glam puis au heavy metal, et continue à se pavaner sur la scène, moulé dans un pantalon de cuir et doté d'une prothèse auditive ; Marchais a oscillé entre stalinisme et eurocommunisme, Union de la gauche et piques anti-socialistes. Il est parvenu à survivre, coiffure et pouvoir intacts, malgré le déclin catastrophique de son parti.

Une autre conséquence de la présence de Hallyday est celle de ses fans louches et abrutis. « Johnny ! Johnny ! » crient-ils avec impatience, dénonçant le « trou du cul » Marchais. Quand Jojo s'approche du podium, il est hué par cette minorité sale et véhémente. Le bruit devient tel que Marchais se tourne vers eux et leur dit : « Johnny va chanter après moi, et je vais même l'écouter avec *vous*. » Je n'ai jamais vu Jojo autant sur la défensive : il puise dans son réservoir de perversité pour faire bonne contenance devant l'effondrement tout récent du pays des Soviets. On sait que le PCF reprochait à Gorbatchev son programme de réforme. Le secrétaire général du Parti portugais a même approuvé publiquement le putsch du mois d'août.

Fin décembre, mon propriétaire descend pour m'annoncer que l'Union soviétique a cessé d'exister. Avant la date prévue, Eltsine a ordonné que le drapeau rouge soit baissé au Kremlin. Juriste calviniste de Picardie, M. Cresson ajoute :

— Cela ne veut pas dire qu'on doit perdre tout espoir.

Tout d'un coup, les nouvelles provenant de la Russie n'ont plus aucun intérêt pour moi.

Fin janvier 1992, je visite la Mutualité pour la dernière fois. Partout dans Paris des affiches font la promotion d'un discours d'Arlette Laguiller, dirigeant de Lutte ouvrière, la Pasionaria du Crédit lyonnais, sous le titre audacieux « Le communisme est toujours l'avenir du monde ». Arlette n'a pas abandonné la lutte. La salle est pleine de trotskistes ; des grappes de drapeaux rouges pendent des piliers ; le balcon est drapé d'une grande banderole : «Travailleurs de tous les pays, unissez-vous ! » Cela ressemble à une séquence d'Eisenstein, ou de Mai 1968. Sur la scène, le Bureau politique, majoritairement mâle et chauve, est assis derrière une longue table.

Puis Arlette arrive, accueillie par des applaudissements enthousiastes. Elle commence par attaquer les iniquités du capitalisme. Au bout d'une heure, elle fait une pause, puis, après quelques minutes de confusion, annonce qu'elle a mélangé deux discours. Elle part à la recherche du reste, laissant un Bureau politique morose à la merci de photographes impudents. Une demi-heure passe, ponctuée d'applaudissements de trotskistes. Puis Arlette revient. Elle parle pendant encore une heure sur les iniquités et l'inefficacité du système capitaliste. Le meeting se termine sur une interprétation exaltante de *L'Internationale*.

Fin juin, je suis réveillé par Andrea, lectrice à la Sorbonne et presque une amie («Aime-toi, Gavin.

Parce que personne d'autre ne le fera ! »). Elle a téléphoné pour m'apprendre que l'équipe de foot écossaise a marqué un but contre la Communauté d'États indépendants, au championnat d'Europe en Suède. Enfin, notre pénurie de buts touche à sa fin. Sous la pluie, nos footballeurs flanquent une raclée à l'équipe ex-soviétique. Démoralisée — « Nous sommes des joueurs de foot, pas des politiciens » —, elle encaisse trois buts. Exultant, je lis dans *L'Équipe* du lendemain : « McStay et McAllister superstars ! »

La vie est douce en Val-de-Marne. Je retrouve Claudine, qui n'a pas déniché de bûcheron au Saskatchewan pendant son année d'études. Elle a même décroché un appartement à L'Haÿ-les-Roses. Nous vivons donc l'idylle du 9-4, où elle me fait connaître les astuces de la cuisine française : les surgelés et les conserves. Quenelles sauce nantua avec mousseline, poulet rôti avec petits pois. En me branlant doucement, elle susurre :

—Tu es bien mieux dans ta peau qu'en 1990.

Également dans ce département de rêve, je transforme en livre ma thèse de doctorat sur Guillevic. Je le retrouve en train de le lire dans son bureau de la rue Claude-Bernard.

— C'est le meilleur livre écrit sur moi.

Il m'offre de la bière.

— J'ai horreur de l'ivresse, dit-il en démolissant encore une canette.

— Eugène, tu ne devrais pas boire comme ça !

— Ça me rend encore plus amoureux ! réplique l'auteur de *Carnac*.

Cet homme âgé de quatre-vingt-cinq ans commence à m'offrir des révélations sur sa vie sexuelle :

— Mon père était un grand baiseur de femmes... J'en ai sauté 530, mais j'ai un ami poète qui en a baisé 650.

Je suis frappé par la précision de ses chiffres, et je lui reproche de m'avoir caché des détails qui auraient aidé les ventes de *Guillevic, sauvage de la modernité*, qui resteront confidentielles.

Pour fêter la parution de mon ouvrage, on descend au restaurant italien du coin, La Grappa. Sur la nappe en papier, il écrit un poème pour celui qui lui a consacré quatre années d'étude :

Feuilles de l'acacia,
Vous tremblez trop,
C'est-à-dire
Plus que moi.

Avant de sortir, Guillevic s'approche de la jolie serveuse.

— Vous voulez baiser ?

Je suis impressionné par la politesse de mon poète, mon pote.

En septembre 1992, je retourne à la Fête de l'Humanité. Des choses ont bien changé dans la Cité internationale : le PDS vend du vin blanc *vintage* de

1989, un exposé sur la Stasi et les mémoires d'Erich Honecker ; le Parti communiste de Bohême et de Moravie, le Parti socialiste des ouvriers de Hongrie ; le *Quotidien du Peuple* chinois ; *Pravda* n'y est plus, faute de fonds. Roland Leroy ouvre la Cité internationale. J'aperçois à mes côtés Hans Modrow, dernier dirigeant communiste de la RDA. Il porte une veste et un jean de coupe classiquement est-allemande, et affiche son froncement de sourcils perpétuel.

Comme toujours, la Fête est agréable. Paella de l'Hérault pour le déjeuner, puis le soir un menu gastronomique de l'Aude : terrine, escargots, cassoulet, vin à volonté. Collé à ma chaise en plastique, pété et heureux, j'écoute un chœur chanter des cantos des collines réformées. On est conscient du côté humain du communisme français : comment il s'est implanté dans des cultures locales ; comment il a joué un rôle dans la défense des intérêts des ouvriers et des paysans. On ne pourrait avoir honte de cela. Les expositions pour commémorer la mort de Louis Aragon et la fondation de la République française démontrent les liens entre le PCF et la vie intellectuelle aussi bien que ses racines dans la tradition jacobine. Le Parti a une identité trop forte pour suivre l'Union soviétique dans la poubelle de l'Histoire. Effectivement, son hostilité aux exigences de l'Union européenne et au traité de Maastricht, au nom de « la patrie en danger », serait plus attirante pour les classes populaires que la conversion du PS au libéralisme et au « franc fort ».

Une semaine plus tard, Claudine, mon historienne antimarxiste, me donne rendez-vous sur une rive de l'île Saint-Louis. C'est une journée de septembre magnifique, la meilleure saison à Paris. Elle porte une robe d'été bleu et blanc et des bijoux fabriqués par sa sœur. Elle est belle à mourir.

— J'ai quelque chose à te dire.

Je vois déjà une maternité et la trouille me gagne : mon contrat de lecteur touche à sa fin et le chômage m'attend.

— Mon frère a quitté la maison très tôt ce matin.

Étant matinal comme ma mère, je n'y vois pas d'inconvénient.

— Il est parti pour Reims.

Encore une fois, je pense au champagne rosé que j'ai bu en septembre 1985.

Mais il est parti pour Reims afin d'assister à un meeting de Jean-Marie Le Pen et du FN, dont il est militant. En fait, Claudine me révéla que presque toute sa famille est de ce bord idéologique, sauf elle et sa sœur, qui votent plutôt Chirac et sont donc considérées comme gauchistes. Son père avait été dans l'OAS et membre fondateur du Front. Un grand-père a été un collègue de Maurice Papon à Bordeaux et condamné à mort pour avoir déporté des juifs. L'autre grand-père, encore vivant à Carnac, est catholique intégriste et ancien cagoulard.

— Je suis désolée, Gavin.

Ébahi, je la quitte pour traverser la Seine, en direction de l'appartement de John Laughland, lui-même lecteur à la Sorbonne Nouvelle mais aussi journaliste eurosceptique très en vue. Sans succès, Margaret Thatcher l'a voulu comme secrétaire après son limogeage en 1990. Il a servi de conseiller du député *tory* Bill Cash, adversaire farouche d'une « Europe fédérale ». De plus, John est obsédé par François Mitterrand, qu'il veut démasquer de son vivant comme fraudeur, escroc et architecte d'une dictature paneuropéenne.

C'est son anniversaire. En arrivant, je prends un verre. Ma main tremble violemment.

— Ça va, Gavin ? me demande Patrick Weil, professeur chevènementiste à Sciences po, auteur de *La France et ses étrangers*.

Je dois lui raconter ce que Claudine vient de me révéler.

— Ces choses arrivent, tu sais.

Les autres invités de cette soirée mêlent les familles politiques : un Roumain réactionnaire de Radio France internationale — « Guillevic, mais je déteste ce type : il a demandé que ma copine lui suce la bite pour qu'il fasse publier ses poèmes ! » — et un trotskiste français amateur d'histoire militaire. Pour créer un peu d'ambiance, John met des chansons mussoliniennes — il revient d'un pèlerinage à la maison du *Duce*. J'aime croire que tout cela est un peu *au second degré*. Vers 23 heures, on sonne à la porte : c'est Bill Cash MP, qui nous fait un discours contre le traité de Maastricht. Il est venu porter son soutien aux souverainistes de France. Effectivement, il y a de drôles reconfigurations politiques en cours sur les ruines du communisme.

« Comment meurt un journal »

Pendant ces années de déchéance, une résistance culturelle communiste est menée, de manière perverse, voire quichottesque, par le poète Jean Ristat. Ouvertement homosexuel, *La Ristata* incarne la partie sombre de son grand rival de la rive gauche, Philippe Sollers. Avec sa revue *Digraphe*, il promeut au cours des années soixante-dix une version marxisante de la « Nouvelle Critique ». Ensuite, lors du bicentenaire de la Révolution française, c'est *Digraphe* qui prend la défense d'Ian Hamilton Finlay, artiste écossais qui adhère au néoclassicisme, doctrine esthétique des révolutionnaires français, à la Terreur jacobine et surtout aux idées de Saint-Just.

Quoi qu'il en soit, le projet d'un jardin commémoratif à Versailles est annulé au bout d'une grande campagne d'intellectuels « anti-totalitaires » menée par Catherine Millet, et les Vigilants de Saint-Just, à Little Sparta et à Paris, doivent lécher leurs plaies. Ristat essuie un autre revers début 1991. Il sort un numéro de *Digraphe* réunissant des intellectuels qui dénoncent la première guerre du Golfe. On ignore que le sponsor de la revue, Yves Saint Laurent, ancien couturier d'Aragon, vient de créer les uniformes des troupes françaises qui s'apprêtent à expulser Saddam Hussein du Koweït. Le sponsoring cesse, plongeant *Digraphe* dans une crise financière dont elle ne se relèvera pas vraiment. Mais l'autre grande aventure de Ristat est la relance, en décembre 1989, des *Lettres françaises*, le journal d'Aragon enterré par la direction du PCF, et surtout par Roland Leroy, en 1972.

La relation unissant Ristat à Aragon commence en 1965, avec un article d'Aragon consacré au premier livre de Ristat, *Le Lit de Nicolas Boileau et de Jules Verne*, qu'il compare à un ouvrage de sa jeunesse surréaliste, *Les Aventures de Télémaque*. Le poète communiste d'avant-garde devient l'ami d'Aragon au cours des dernières années de sa vie, et cette relation particulière avec l'auguste vieillard de la littérature française, « père incestueux et amant impossible », est mise en scène dans plusieurs de ses textes. De nombreux contemporains d'Aragon n'acceptent pas la nature de la relation qui l'unit à Ristat. Assurément, la présence de ce jeune homosexuel flamboyant est incompatible avec l'image du couple Aragon-Triolet, que le Parti a posé en rival du couple Sartre-Beauvoir dans le champ culturel, et en égal du couple Thorez-Vermeersch dans le champ politique. En 1975, Aragon désigne Ristat comme son exécuteur testamentaire, et Ristat confirmera lui-même son rôle de farouche défenseur de la mémoire d'Aragon.

Au cours de l'hiver 1989, ayant appris que des intellectuels proches de Leroy projettent de relancer *Les Lettres françaises*, Ristat les devance en faisant lui-même revivre le titre, conformément, dit-il, à un engagement secret qu'il aurait passé avec Aragon. Le journal réapparaît dans un contexte différent de celui dans lequel il avait cessé de paraître. De 20 % en 1972, l'audience du PCF a chuté pour atteindre le score de 8 % aux élections européennes de 1989. Le PCF a alors perdu ses grands intellectuels et pas seulement pour des raisons naturelles comme avec Picasso et Aragon.

En termes politiques, *Les Lettres françaises* de Ristat sont antistaliniennes et, en même temps, hostiles à la « société du spectacle » qui triomphe après la chute du communisme. L'antistalinisme conduit *Les Lettres françaises* à comparer et réévaluer les attitudes passées des intellectuels français à l'égard du bloc de l'Est. Ce qui explique l'ardeur mise à revenir sur l'affaire Kravtchenko, le « procès du siècle » en 1948. On présente Aragon comme pionnier de la déstalinisation dans la sphère culturelle et on réhabilite le marxisme critique de l'autre Louis, Althusser. On revient sur les tensions entre surréalisme et communisme, réhabilitant à son tour André Breton.

Mais Ristat marque *Les Lettres françaises* de son empreinte personnelle en accordant une vive attention à la sexualité, en particulier à l'homosexualité. C'est en août 1992, avec le numéro « Porno », que le thème sexuel fait une apparition décisive. La couverture, une peinture réalisée sur commande et représentant une scène de fellation, annonce le contenu, dénué de toute forme de compromis : photos et caricatures explicites (provenant souvent de la collection privée de Ristat), étayées par des articles sur la pornographie, la censure, les films X, le sado-masochisme, la BD et le rock'n'roll. Le numéro se termine sur les réponses d'intellectuels au questionnaire qui leur avait été envoyé. Les réactions favorables au porno ont pour auteurs, entre autres, Christian Prigent, Marcelin Pleynet et Philippe Sollers — « Quel usage en fais-je ? Incessant ».

Le numéro « Porno » est à la fois le plus marquant et celui qui remporte le plus grand succès commercial, mais il provoque aussi, de la part de vieux lecteurs, des réactions outragées. Un certain Robert Bailly écrit au journal :

« Ce 13 août est un des jours les plus tristes de ma vie. Mon épouse Géné est clouée au lit, compagne de Résistance et de toutes les luttes qui suivirent. J'apprends ce matin le décès de Fernand Grenier, qui fut mon guide depuis 1937 — en même temps qu'arrive ce numéro des *Lettres françaises* consacré à la pornographie. Je me dis : que penserait Fernand de ce numéro digne de la société décadente que nous vivons, d'un journal pourtant chargé de tenir haut et ferme le flambeau des intellectuels de gauche qui croient à une société de fraternité sans capitalisme. Jean Ristat, qui es-tu ? »

Ristat répond sans concession : « Qui suis-je ? Un disciple de Restif de La Bretonne, c'est-à-dire : un pornographe. Je suis communiste, mais certainement pas pour défendre l'ordre moral dont nous n'avons que trop souffert, même au sein du Parti. »

Pendant les mois qui suivent, le journal est confronté à une crise financière s'aggravant avec le retrait de bailleurs de fonds. L'éditeur du Parti, qui vient d'être racheté par un promoteur immobilier, annonce à Ristat qu'il veut reprendre le titre et le relancer sous la direction d'un de ses innombrables « ennemis », Jean-Claude Lebrun, de *L'Humanité*. L'éditorial du mois de juin est un adieu dramatique et troublant : « Lettre ouverte à Aragon sur la deuxième mort annoncée des *Lettres françaises* ». Ristat parle amèrement de ceux qui n'ont jamais accepté sa relation intime avec Aragon : « On me considère comme un usurpateur ou, au mieux, comme un intrus. Qu'est-ce que je fais dans la maison du père ? » Il continue : « Louis, ils ont voulu me tuer. Tu le savais. Tant de fois tu me l'as répété : "J'ai peur pour toi"… Aujourd'hui je suis seul. J'ai les mains nues… je ne peux plus poursuivre la partie. Je ne sais pas qui dans les coulisses tire les ficelles. Les ennemis sont-ils partout comme dans un mauvais polar ? Cette nuit je sais que leurs raisons sont diverses, mais que provisoirement elles convergent dans un seul but : me faire taire en supprimant *Les Lettres françaises*. »

Mais qui sont-« ils ». Qui « tire les ficelles » ? Je suis avec enthousiasme cette aventure éditoriale, depuis, il faut l'avouer, ma découverte du numéro « Porno » dans un kiosque de Choisy-le-Roi. J'entame une enquête sur la deuxième vie des *Lettres françaises*. En juin 1993, je prends l'avion de Shannon Airport, en Irlande, pour Paris. Avant de partir, je téléphone au bureau des *Lettres françaises*. C'est Gerhard Jacquet, gérant, à l'appareil :

— Il faut venir vite. Parce que demain on ferme boutique !

Dès mon arrivée je prends donc le métro pour Ivry-sur-Seine, et trouve le bureau des *Lettres françaises* au sein du centre commercial. Gerhard me raconte l'histoire du journal et m'en donne tous les numéros, que je mets dans des sacs en plastique portant le logo du journal : un souvenir de collectionneur. Puis nous attendons Jean Ristat. Qui nous fait attendre, c'est son habitude. Enfin arrive cet homme en noir — « Je suis habillé en curé, mais je suis un curé débauché » —, un beau cinquantenaire aux yeux espagnols et avec tous ses cheveux (ce que je commence déjà à lui envier). Ristat me toise.

Nous partirons déjeuner ensemble pour la dernière fois, au restaurant du coin, Petit Maxim's. En parcourant le passage Robespierre, Ristat m'évoque l'affaire Finlay et la délégation à Édimbourg :

— Je tremble pour l'Écosse.

Avec son grand amour, Philippe, mort du sida depuis, il a parcouru les landes désolées du Sutherland : « Ton paysage est très mélancolique, et j'aime ça. » Je demande à l'auteur de *Lord B* :

— Est-ce que tu aimes encore Lord Byron et les Rolling Stones ?

— Aujourd'hui j'aime plutôt la techno.

Petit Maxim's est un lieu luxueux, intime et feutré. Sur ce dernier repas il faut dépenser tout ce qui reste du budget des *Lettres françaises* (si cet argent existe). Ristat commande une bonne bouteille de rouge. Il le goûte puis agite la main avec dégoût :

— Non, ce n'est pas possible !

Le sommelier devra redescendre dans la cave une demi-douzaine de fois.

Ristat parle à ces derniers disciples des manœuvres en coulisses contre son journal. À un moment, vient d'une autre table Jean-Claude Lefort, député communiste de cette circonscription. Celui-ci chuchote au Christ byronien des paroles qui me sonnent comme celles de la condoléance.

— Ce n'est pas un ennemi, dit Ristat. C'est un homme de Georges, pas de Roland.

Non, Ristat ne veut pas perdre la bataille juridique en cours. Il évoque Austerlitz, ou serait-ce Waterloo ?

— C'est le matin de la bataille. Nous attendons que la fumée se dissipe.

Je revois Claudine en fin d'après-midi. Nous descendons le Boul'Mich. Pour une fois, elle apprécie cette histoire :

— C'est quelque chose qui n'arrive qu'une fois dans la vie.

Le lendemain, *Les Lettres françaises* sont liquidées avec un passif de trois cents millions de centimes.

Il reste des questions à élucider, des facteurs à prendre en compte pour mener à bien mon enquête. L'été suivant, je quitte mon poste à l'Université de Limerick et entame un périple à travers la France. À la gare de Lyon, Pascale, ex-belle-fille d'Albert Camus (et sa nièce, car les pieds-noirs restent entre eux), m'accompagne au TGV qui va m'emmener à Marseille, où Gerhard Jacquet promet de me montrer « les dessous des cartes » des *Lettres françaises*.

— Gavin, tu as un visage étrange, me dit Pascale. Mais il n'est pas forcément sans attrait.

— Merci. C'est gentil.

Puis elle parle avec tristesse de son mariage malheureux à Jean Camus.

Jean est un avocat brillant et un fin pianiste. Mais il vit toujours sous l'ombre du père. Un homme très riche aussi : lui et sa sœur Catherine touchent les droits d'auteur mirifiques de l'auteur de *L'Étranger*.

— Chaque mois il changeait de voiture de sport : Bentley, Jaguar, Lamborghini... On roulait à toute vitesse sur les routes de campagne. Je crois vraiment qu'il voulait rejoindre son père.

Au Relay j'achète *Le Premier Homme*, qui vient de paraître, puis je monte dans le train.

Gerhard m'emmène de la gare Saint-Charles à la Cité-Radieuse de Le Corbusier, où il vit avec sa compagne, Éliane. Ils m'ont réservé une chambre à l'hôtel de la Cité. Je suis fasciné par ce complexe. Dans un seul couloir, on trouve tout ce qu'il faut pour mener une vie de Français : un bar, une boulangerie, une pharmacie et un psychanalyste. Devant les portes du parking traînent des prostituées. Du toit se jettent des désespérés avec une triste régularité.

Gerhard est un homme impressionnant. Fils de résistants communistes français et allemands torturés à mort par les nazis, il est élevé des deux côtés du Rhin. Il travaille comme secrétaire de Guillevic et rejoint l'équipe éditoriale des *Lettres françaises*, où Aragon s'intéresse non seulement à son intellect mais aussi à sa beauté virile. Sous les ordres du Parti, il devient colonel de réserve, parce qu'il faut noyauter ces forces. Judoka, il est battu de justesse par le champion du monde, le Britannique David Starbrook. Avec Éliane, ils forment un ménage admirable. Ils ont leur boîte de communication qui sert la CGT et d'autres associations progressistes. Pour les vacances, ils aiment chasser les oiseaux migrateurs ou parcourir le Sahara à la recherche d'objets touareg. Et ils connaissent Markus Wolf, ancien chef du contre-espionnage est-allemand, qu'ils ont aidé à briser l'embargo technologique contre le bloc communiste.

— On l'a rencontré pour la dernière fois au festival de commerce de Leipzig, l'été 1989. Je peux te mettre en contact avec lui si tu veux.

Gerhard est un homme charmant et de grande culture. Coléreux aussi. À plusieurs reprises, il se tourne contre moi. Son ton durcit. Je crains d'être brisé en deux ou jeté par la fenêtre de leur appartement à cloisons mobiles. Heureusement, Éliane veille :

— Gerhard, laisse-le tranquille !

Nous nageons au large des îles du Frioul et dans les calanques. Nous mangeons de la bouillabaisse à Cassis. Nous passons par La Ciotat, toujours un bastion du communisme marseillais. Mais le moment vient de parler sérieusement. Éliane nous laisse sur le balcon. Nous mettons des chapeaux en fourrure du KGB, bien qu'il fasse plus de trente degrés, et il m'offre un havane. Gerhard a une *Weltanschauung* assez policière et complotiste qui n'est pas sans fondement.

Il sort ses dossiers sur *Les Lettres françaises*. Dans le menu détail, il révèle le financement occulte du journal. Il se moque du financement soi-disant bénévole du PCF :

— Ah, le muguet ! comme ça sent bon le muguet !

J'écrirai un article sur la deuxième mort des *Lettres françaises*, d'abord pour une revue universitaire. À la Fête de l'Humanité, je visite le stand de *Digraphe* et découvre qu'une traduction de mon texte est publiée en inséré. « Comment MEURT un journal » est affiché sur un panneau. Jean Ristat se réjouit :

— Ça commence déjà à faire du bruit.

Roland Leroy est hors de lui. Georges Marchais veut me parler de vive voix. Ristat me dit d'aller illico au stand de Villejuif. Ce que je fais, à toute vitesse à travers la foule. Heureusement, c'est une Fête de la « poussière » plutôt que de la « boue ». J'avance rapidement et j'arrive à l'entrée de la tente. Assis sur une chaise plastique se tient mon héros depuis 1981, l'ancien patron du Parti, qui vient de céder la place à Robert Hue. Mais le gros bras, vêtu en blouson de cuir noir et portant des lunettes également noires, refuse de croire mon histoire. Je dois battre en retraite, dépité.

Mais, avec Jean et d'autres digraphiens, nous dînerons sur d'énormes plateaux de fruits de mer au stand de Champigny-sur-Marne. Je constate que la traduction est une version tronquée du texte.

— Tu as découvert des choses, Gavin. J'ai dû te censurer un peu.

Il propose de me ramener à Paris, ce que j'accepte.

Nous nous promenons vers la sortie, traversant des bois où mon futur maître a connu des rencontres libertines.

— Tu es un personnage dangereux, Gavin, et j'aime ça.

Jean aimerait que je rejoigne son comité de rédaction.

Nous quittons la Fête dans son Alfa Romeo. Il met de la techno. Nous aboutissons à un bistrot de Bastille, Les Portes, tout près du site de la chute de la tyrannie. Il fait de moi un Vigilant de Saint-Just. Il me laisse même embrasser la bague de Byron qu'il a héritée d'Aragon. Puis il m'invite à descendre dans le sous-sol.

— Tu vas voir des choses.

Effectivement, dans l'obscurité, des dizaines d'hommes sont en train de s'enculer. Inhalant des poppers, le Lord Byron d'Aubigny-sur-Nère me dit :

— Gavin, tu es un pervers, un *pervers*, et c'est pour ça que je t'aime !

Je finirai par le décevoir profondément.

Paris change

Max s'engouffre dans Le Bistrot des Halles et demande Daniel, le patron.

— Il est là-haut, lui dis-je. C'est l'anarchie, ici.

Max se sert donc un café et annonce :

— Les Russes ont bouffé Le Bristol !

Effectivement, ce jeune beur de banlieue vient de passer à cet hôtel de luxe pour chercher un mannequin venu de Moscou.

— Au Bristol on ne trouve que des mafieux russes. Leurs femmes sont belles, mais elles sont toutes des esclaves.

Max travaille pour une agence de mode. Souvent il part pour Roissy chercher les nouveaux arrivages en provenance de la nouvelle Europe : Roumaines, Polonaises, Hongroises, Kazakhs… Puis il les emmène dans un salon d'esthétique où elles se font épiler le sexe, première étape de leur « intégration ».

Beau et beau parleur, Max est un fin connaisseur des femmes. Il affirme de façon catégorique que les meilleurs mannequins viennent de l'Europe de l'Est. Il apprécie également les Anglaises :

— Je connais bien Keira Knightley. C'est une vraie professionnelle. Kate Moss aussi.

Et les « cousines » d'Algérie ?

— Non, elles sont trop poilues.

Les Françaises elles-mêmes ne sont pas nées pour le *modeling* : leurs physiques ne lui conviennent pas. Un consensus rapide s'installe dans ce bistrot de la rue de Turbigo :

— Les Françaises ne sont pas belles. Elles sont jolies.

Je médite sur la sexualité des clients beurs qui fréquentent ce bar à cafards. Ils expriment souvent un véritable mépris des bourgeoises des beaux quartiers. Lors d'un match de Roland-Garros, on prend le parti de l'Américaine Venus Williams contre la Française Nathalie Tauziat.

— Blondasse de merde ! crie-t-on vers le téléviseur.

Mais Max et ses amis ont horreur de leurs cousines : il faut toujours coucher avec des Blanches. Au bout du zinc, je vois le fantôme de Frantz Fanon hocher la tête et prendre des notes.

Daniel descend de ses appartements. Revenu du Texas, il s'est habillé en cow-boy et affiche, comme d'habitude, un large sourire. Il a eu plusieurs vies depuis ses études à Sciences po pendant la guerre d'Algérie. Il raconte de façon saisissante la nuit du

17 octobre 1961, le climat de peur dans la ville, les ratonnades. Puis il a servi de conseiller de Bouteflika avant de retrouver Paris. Depuis des lustres, il tient ce bar presque toujours vide — « Je suis sûr qu'il fait un trafic », suggère mon ami Jean-Louis, servant parfois le meilleur couscous de la capitale. Bientôt, ce cicéron kabyle se lance dans un de ses longs discours sur l'actualité, ponctués de « par ailleurs ! » et « à titre d'exemple ! ».

Le Bistrot des Halles paraît un des derniers bastions « indigènes » de cette rue. En face de nous, les bistrots s'embourgeoisent et s'anglicisent : Les Têtes brûlées, The Frog & Rosbif. Au moins, notre voisin, Le Vélocipède, tient à ses racines, offrant blanquette de veau et petit salé-lentilles à déguster sur nappes à damier rouge et blanc : « Ici, c'est cuisine familiale. Pas de blabla ! »

Odile rejoint notre tribu assiégée. Prostituée depuis trente ans, elle connaît par cœur et par cul la rue Saint-Denis. Elle vote Arlette Laguiller. Elle vient aussi de lire mon livre, *L'Interminable Enterrement*, sur le communisme et les intellectuels français.

— Monsieur, vous avez une rigueur que nos intellectuels n'ont pas !

À nos côtés se trouvent deux cadres venus pour leurs *after work drinks*. Ces malins se prennent pour des anges.

— Madame, nous portons un message.

— Messieurs, je suis petite de taille, rétorque Odile, mais je ne suis pas petite de tête !

Touché. Peu à peu, Le Bistrot des Halles retrouve son état habituel, c'est-à-dire le vide. Max part chercher de superbes filles qu'on a repérées dans la campagne ukrainienne. Odile doit « faire ses comptes ». Je traverse la rue de Turbigo et me dirige vers la porte Saint-Denis.

— Bonsoir, chéri !

Une voix d'une ruelle et du passé. Je me rappelle les échanges tarifés — trois cents francs puis cinquante euros — que j'ai cherchés sous l'influence de l'alcool et du désespoir.

— Veux-tu baiser ou juste boire ?

Juste boire. Je continue, les yeux rivés à la rue Saint-Denis, me répétant les mots de Robert Hue : « Le corps n'est pas une marchandise. »

Bientôt Le Bistrot des Halles ne sera plus, Daniel s'achetant un cabanon sur une plage thaïlandaise. Au même moment, Le Vélocipède capitule devant la « cuisine mondiale ». Il paraît que la Ville de Paris veut rénover ce quartier.

Je traîne mon cœur de mortel vers un angle de la rue, où je m'achète une crêpe jambon-fromage-œuf. Je rends hommage au fast-food français — après tout, j'étais tenté par le sandwich merguez-frites. Puis je regarde la merveille qu'est la porte Saint-Denis : « *Ludovico Magno* » brille dans la nuit qui tombe. Comme on est loin des ébats libertins de Versailles.

L'œil du cyclone

Paris, octobre 2001.

Sur l'écran de la télé, une chaîne d'info française montre en continu des images de la guerre en Afghanistan. Des avions de l'US Air Force sont en train de bombarder le désert de tonnes de poudre pour soupe aux pommes de terre. Un journaliste français, travesti en femme afghane, vient d'être capturé par les talibans. Dans sa planque parisienne, Michel Houellebecq ricane.

De toute évidence, ça va mal. Des menaces de mort téléphonées par des islamistes présumés l'ont chassé de sa maison en Irlande. Son éditeur, Flammarion, lui a interdit de parler aux médias. Il ne peut quitter la France sauf sous protection armée. Afin de compliquer davantage les choses, son jeune corgi, Clément, commence à souffrir de « désirs sexuels très forts ». « Peux-tu entrer en contact avec la famille royale ? » (car la reine Élisabeth est une grande fan des corgis).

Je suis maître de conférences à l'Université de St. Andrews, où le futur couple royal Wills et Kate vient de débarquer. Pour marquer cet avènement de la royauté, j'ai sorti un pamphlet en hommage au diplômé le plus distingué et le plus méconnu de la faculté, Jean-Paul Marat, assorti d'images d'Ian Hamilton Finlay, bête noire de Catherine Millet et du gratin germanopratin. La doyenne de l'université m'a dit :

— Mais tu as *promis* de ne pas parler à la presse !

On a attiré l'attention du *Daily Telegraph* et du *Scotland on Sunday*, mais le 11 Septembre va enterrer cette initiative éditoriale. Je promets quand même à Michel de faire un petit effort pour soulager les chaleurs de son chien.

Michel est passé de superstar à paria littéraire grâce à son nouveau roman, *Plateforme*. Ici, il continue son offensive contre une société occidentale corrompue par l'individualisme et incapable d'aimer. L'intrigue tourne autour de l'affaire entre le narrateur et Valérie, une jeune cadre dynamique dans l'industrie du tourisme. Ensemble, ils deviennent les pionniers d'une utopie contemporaine : le tourisme sexuel. Les masseuses thaïes et les métis cubains offrent une alternative bienvenue à un Occident sado-masochiste. Michel se détourne de la télé et soupire :

— Il y a tant de filles et de garçons sexy qui veulent vendre leur corps, même être ton mari ou ta femme. Qu'est-ce qu'on attend ?

Michel n'a pas d'objections à ce que de nombreux intellectuels de gauche considèrent comme une activité dégradante :

— Je trouve la prostitution une très bonne chose. Elle n'est pas si mal payée... En Thaïlande, c'est un métier honorable. Les prostituées y sont très gentilles, elles donnent du plaisir à leurs clients, elles s'occupent de leurs parents. En France, je sais qu'il y a de l'opposition, mais je suis en faveur d'une organisation plus rationnelle de la chose, un peu comme en Allemagne ou aux Pays-Bas.

Plateforme est une variante sur un thème constant dans l'œuvre de Michel : la poursuite du bonheur dans un monde post-communiste et sans Dieu, ici par une chaîne d'hôtels pour touristes sexuels, Club Aphrodite. Comme l'aurait écrit un Milton houellebecquien : *Paradise Lust*. C'est bien ce mélange de désespoir et de désir qui a touché un point sensible en France, où l'idéalisme de Mai 1968 s'est consumé dans le cynisme des années Mitterrand.

Pourtant, cet éloge de la prostitution a inévitablement offensé beaucoup de Français, des intégristes catholiques aux adversaires de l'esclavage moderne : « Le corps n'est pas une marchandise ! » Houellebecq vient de s'attirer les foudres du *Guide du routard*, qu'il décrit dans son roman comme une bande de protestants humanitaristes et moralisateurs. Le magazine *Elle* s'est senti obligé de défendre les femmes occidentales, que Michel vient de décrire comme n'étant plus « baisables ».

Au mois de mai précédent, j'avais passé un long week-end chez les Houellebecq dans leur nouveau domicile, The White House, sur Bere Island, dans l'ouest de l'Irlande. Ce fut un séjour splendide : un paysage d'un vert émeraude, cuisine délicieuse de Marie-Pierre, jeux de « rapporte » avec Clément, Jameson's whiskey à partir de 11 heures, des heures à regarder une chaîne évangéliste américaine ou à lire les aphorismes de Kim Il-sung et des manuels de langue à la méthodologie excentriquement associative (pour l'allemand, « J'ai perdu mon fils dans une zone (*Sohn*) industrielle »). À table, dégustant encore un plat délicieux servi par Marie-Pierre, Michel donne libre cours à une certaine nostalgie stalinienne :

— Pol Pot a été trahi par des paysans ignares !... Il est évident que les Ceausescu s'aimaient. Dans leur procès ils se disaient « chéri ». Un vrai couple, quoi.

Le matin de notre départ, je viens montrer à Michel comment cuisiner du *bacon and eggs*. Il est visiblement déçu par sa simplicité. Puis il monte sur un tabouret dans la cuisine et fait une de ses longues pauses caractéristiques. Quelque chose lui taraude l'esprit. Il doit partir pour Paris avec le manuscrit de son nouveau roman.

— Je suis inquiet... Mon roman contient des portraits calomnieux de gens dans l'industrie du tourisme.

Il s'agit du *Guide du routard* et de *Nouvelles Frontières*. Il n'y a aucune mention de l'islam. Mais c'est l'islam, et non le tourisme sexuel, qui explique sa présence dans cet appartement vaste et triste, où parfois sonne tristement un portable égaré.

Au début de *Plateforme*, le narrateur hérite d'une fortune : son père vient d'être tué par le frère pieux de sa femme de ménage arabe, Aïcha. À la fin du texte, l'entreprise érotique est détruite quand des islamistes massacrent les invités, y compris la bien-aimée Valérie, à l'inauguration du premier hôtel en Thaïlande. Le narrateur déclare : « L'islam avait détruit ma vie, et l'islam était certainement quelque chose que je pourrais détester. » Il décrit ensuite le plaisir énorme qu'il ressent en apprenant la mort d'un enfant palestinien, tué par l'armée israélienne dans la bande de Gaza.

À sa parution en France, des apologistes de Houellebecq ont affirmé qu'il s'agissait d'une œuvre de fiction. Mais cet argument est gravement affaibli par les remarques de l'auteur aux médias : « Je déteste tous les monothéismes. Mais l'islam est la religion la plus con. » Sa mère l'avait abandonné avant de se convertir à l'islam : il n'était pas difficile d'« expliquer » les « intentions » de l'auteur.

Le bombardement verbal a suivi immédiatement après. « Houellebecq est un con », opine, de façon lapidaire, une grosse tête de la rive gauche. Les représentants des cinq millions de musulmans en France se mobilisent et portent plainte contre Michel pour incitation à la haine religieuse. Le recteur de la Grande Mosquée de Paris, Dalil Boubakeur, vient de déclarer : « Il faut une fatwa sur ceux qui incitent à la haine... En tant que médecin, je rappelle à Michel Houellebecq que la psychiatrie d'aujourd'hui réussit à guérir toutes les phobies. » Flammarion a bâillonné son auteur. *Plateforme* se trouve sur la liste de livres sélectionnés pour le prix Goncourt, seulement quelques heures avant l'attentat contre le World Trade Center. Le roman en est enlevé immédiatement après.

Face aux menaces des islamistes, Michel s'est réfugié chez Michel Déon de l'Académie française, autre écrivain français exilé en Irlande.

— Lors du 11 Septembre, se rappelle Déon, j'ai dit à Michel : « Ouf, on est sauvé. Tu ne seras plus le centre de l'attention. »

Ce séjour dans la campagne de Galway tourne court — « J'aime Michel Houellebecq mais il est très avare... » Ensuite, on conseille à l'auteur de *Plateforme* d'aller chez moi, en Écosse. Son attachée de presse, Marie Boué, lui dit : « Personne ne saura où tu es ! » Avec Clément il part donc pour Crail. Il y a déjà résidé lorsqu'en 1999 il est venu à mon festival de la poésie pour annoncer la fin du siècle. Mais je ne suis pas là, et il le sait : je suis parti faire de la recherche (sur la géographie tropicale de Pierre Gourou) à Marseille.

Jusqu'à ce jour, je me demande toujours ce que

Michel a pu faire lors de ce passage à Crail : manger du *fish and chips* tout en repoussant les mouettes agressives du coin ? Chanter au karaoké dans l'East Neuk Hotel, en compagnie de pêcheurs et surtout de pêcheurs ? Ironie de l'histoire : dans la même rue que mon cottage se trouve la demeure imposante, au bord d'une falaise, de Paul Wilkinson, éminent professeur, spécialiste de terrorisme international.

Michel et Clément s'installeront ensuite dans un camp naturiste du Cap-d'Agde avant de remonter à Paris.

— Je n'ai pas de regrets, me dit-il. Ce n'est que mon éditeur qui devrait avoir des regrets. Je ne suis pas raciste. Je n'ai jamais confondu les Arabes avec les musulmans. M. Boubakeur devrait se rendre compte que pour moi l'islam n'est pas une phobie. J'ai traité de sa religion en l'espace de quelques pages. Voilà.

Mais le « choc des civilisations » continue à être retransmis sur l'écran, et les positions de Michel sont assez nettes :

— Avec le 11 Septembre, mon antiaméricanisme s'est effondré... Il faut bombarder La Mecque avec des minijupes !...Y a-t-il encore un Parti communiste afghan ? Je veux leur écrire un poème en hommage.

Ensuite, Michel commence à élaborer son projet d'un concert en solidarité avec Tsahal. Lui et Leonard Cohen sont provisoirement à l'affiche.

Et les remarques toutes récentes de Silvio Berlusconi sur la « supériorité » de la civilisation occidentale ?

— Ce n'est pas un crime de poser un jugement de valeur sur une autre civilisation.

Pendant cette « affaire », de nombreuses comparaisons, favorables ou pas, ont été faites entre Houellebecq et Louis-Ferdinand Céline. « N'oublions pas que beaucoup de nos meilleurs écrivains furent des salauds », affirme *L'Humanité* avec justesse, et en connaissance de cause. Mais Michel n'est pas convaincu :

— Je considère Céline comme une personne sympathique qui était en fait assez limitée comme écrivain. Mais je suis d'accord avec l'idée que la fiction ne devrait pas avoir de limites morales. Les limites sont trop variables ; le contexte dans lequel on lit un livre change toujours.

Nous sortons dans le quartier à la recherche d'un restaurant indien. Clément suit son maître, un canin celtique évidemment étranger à la Ville lumière.

— Il n'a pas encore la maîtrise du caniveau.

L'auteur ne reste pas pour ramasser ses déjections.

De retour à la planque, nous regardons le match de foot France-Algérie. Vers la fin de ce match hautement symbolique, les jeunes supporteurs d'origine algérienne, qui ont déjà sifflé et hué *La Marseillaise*, envahissent le terrain. Les joueurs et les arbitres se sauvent. La fine fleur du gouvernement de la gauche plurielle, Lionel Jospin en tête, reçoit des bouteilles et d'autres missiles.

C'est un match médiocre qui finit en événement.

Il est évident que ce climat délétère pèse sur

Michel. Je mentionne Salman Rushdie, qui refuse jusqu'ici de se prononcer sur la controverse autour de *Plateforme*.

— J'aimerais croire que je ne subirai pas le même sort que Rushdie.

Je me souviens de la veille de notre départ d'Irlande. Nous buvions du Jameson's dans le jardin de The White House. Soudainement, on a entendu des coups de feu résonner à travers les collines du County Cork. Houellebecq s'est tourné vers Clément et lui a dit :

— Reste tout près de moi, mon petit chien. Toi, au moins, tu ne dois pas penser à ta propre survie.

« Shakespeare dans la nuit écossaise »

Au printemps de 2004 détonne l'annonce très médiatisée du « transfert » zidanesque de Michel Houellebecq de Flammarion au groupe Lagardère et de la publication de son prochain roman (qui entrerait immédiatement, promettait l'attachée de presse, en production cinématographique, avec déjà une avant-première prévue au Festival de Cannes de mai 2006). Début 2005, Michel Houellebecq me demande si j'aimerais remplacer Frank Wynne comme traducteur anglais de ses romans :

— Il semble que chez les Anglo-Saxons les traductions sont très controversées.

— Ce serait pour moi un plaisir et un grand honneur.

— Alors, je t'impose.

Je lui fais part de mon projet d'organiser, à Édimbourg, le premier colloque universitaire consacré à son œuvre. Il est ravi.

Entre deux cambriolages de mon appartement

dans un quartier malfamé de Dundee, je rencontre à Paris Raphaël Sorin, éditeur de Houellebecq, ancien éditeur aussi de Guy Debord :

— C'était un type très difficile. Et un peu surfait : son « détournement » n'est que le plagiat.

Raphaël est plus excité par un nouveau livre qui sort chez Fayard sur le banditisme dans le Bassin parisien : « Ils conduisent des quads ! » Et, bien sûr, il attend avec impatience la sortie du roman de Michel, dont il ne divulgue ni le titre ni l'intrigue.

Effectivement, en mars 2005, avant de recevoir le manuscrit, je suis obligé d'accepter des clauses de confidentialité :

« Vous reconnaissez que toute information et matériau inclus dans le manuscrit sont hautement confidentiels et appartiennent exclusivement à l'auteur et à la Librairie Arthème Fayard.

« Vous acceptez de ne pas divulguer l'information renfermée dans le manuscrit.

« Vous acceptez que l'information portée à votre connaissance serve exclusivement à vous permettre d'évaluer votre travail de traducteur.

« Vous acceptez de ne contacter aucun tiers en vue de l'informer sur le contenu du roman. »

Le temps disponible est très limité. Le manuscrit arrivera à la fin de mars. L'idée de Fayard est que le texte original et les traductions paraîtront simultanément à l'automne. Je prends contact avec Helen

Garnons-Williams, ma rédactrice chez Weidenfeld & Nicolson :

« Merci pour tes messages. La fin de ce mois, hein ? Ça va être très serré. Nous avons fixé une date de publication pour la fin d'octobre. Ce qui veut dire que le livre doit être bon à tirer début septembre. Il faudra donc achever le manuscrit dans la deuxième semaine de juillet. En supposant que vous receviez le manuscrit début avril, ça vous donne trois mois. J'espère que c'est faisable. *Glups !* »

Nous relevons donc le défi de traduire un roman de cent vingt mille mots en douze semaines. Suivra une sorte de ping pong éditorial entre Dundee et Londres. Je consacre mes soirées et jours libres à cette tâche, tout en menant une lutte contre l'*antisocial behaviour* qui sévit dans notre immeuble. En écoutant Europe 1, également propriété du groupe Lagardère, je discerne une stratégie subtile de marketing : les thèmes de débat sont les sectes, le clonage, le jeunisme, les *childfree*, c'est-à-dire les thèmes du prochain roman de Houellebecq. On prépare le terrain.

Les deux semaines de vacances de Pâques pourraient faciliter mon travail. Mais je viens de tomber amoureux d'une Roumaine, Mioara, qui donne raison enfin à Louis-Ferdinand Céline : les Roumaines sont les plus belles femmes du monde. Elle vient me rendre visite. Ce sera la première fois qu'elle prend l'avion, la première fois qu'elle sort de son pays. Elle a fait la queue devant l'ambassade du Royaume-Uni pendant cinq heures, sous la neige. J'ai fait la promesse solennelle aux diplomates que je ne la quitterais pas des yeux : autrement, elle serait ethniquement destinée à voler, mendier et se prostituer. Le travail de traduction est donc interrompu, et je fais visiter la Calédonie à mon amour d'outre-Carpates. Elle incarne peu la fameuse « amitié franco-roumaine » dont l'étude m'a permis de découvrir le *Micul Paris*, Bucarest. En fait, cette jeune historienne des crimes du communisme, petite-fille de deux vétérans de la bataille de Stalingrad, déteste la France, pour des raisons qui me restent obscures. Malgré une passion pour *Agent provocateur* et *Ange et démon* — « Monsieur, c'est toute une histoire ! » s'extasie la vendeuse de Roissy CDG —, Mioara, qui fut paramilitaire néonazie pendant ses années folles d'étudiante, refuse de me rejoindre à Paris et se réjouira même des émeutes en banlieue.

Mioara partie, je retrouve *La Possibilité d'une île* et mes mauvais voisins. Je calcule que la traduction me prend au total quinze jours. Il y a des moments où la fatigue triomphe : je traduis « les derniers seins, les dernières touffes, les derniers micromondes » par « *the last breasts, the last bushes, the last microwaves* ». Il est vrai que j'avais très faim. Et j'aurai très mal au bout des doigts en tapant le dernier paragraphe du roman : je ressens physiquement la découverte de la mer par le protagoniste néohumain.

— C'est excellent ! me promet Helen. Le deuxième chèque sera mis au courrier.

Contrairement aux idées reçues, il n'est pas facile de traduire Michel Houellebecq. On est loin du degré zéro de l'écriture. En fait, on trouve dans ses œuvres un mélange virtuose de discours, de jeux de mots et d'allusions culturelles. Ces défis m'ont rapidement amené à briser l'accord de confidentialité : afin de résoudre des problèmes de traduction, il fallait consulter des spécialistes. Pour les passages scientifiques, je consulte le romancier écossais Andrew Crumey, auteur de *Sputnik Caledonia* et de *Mobius Dick*, titulaire d'un doctorat en mathématiques. Dans un pub de St. Andrews, une jeune doctorante irlandaise, experte de Hegel, me donne une leçon sur « la ruse de la raison » et l'utilisation provocante de Chupa Chups. Je m'amuse bien avec les jeux de mots, souvent grivois, que le comique Daniel1 utilise, à commencer par cette scène d'une soirée mondaine à Paris : Karl Lagerfeld « a attrapé le plateau de fromages ; je crois qu'il m'avait vraiment prise en affection. Lajoinie le regardait dévorer le livarot avec incrédulité. "Tu es vraiment une grosse patate, Karl…" fit-il dans un souffle ». Heureusement, « une grosse patate » peut devenir « *a big cheese* ». Dans un autre pub de St. Andrews, un éminent professeur de linguistique — d'habitude, quand je le croise dans le bus, il est en train d'apprendre le swahili ou l'afrikaans ou le coréen — m'aide à négocier des rimes de rap assez choquantes : « J'avais quand même écrit un titre original, "Défonçons l'anus des nègres", dont j'étais assez satisfait ; nègre rimait tantôt avec pègre, tantôt avec intègre ; anus avec lapsus, ou bien cunnilingus : de bien jolis *lyrics*. » Grâce au professeur Ian Press, je trouve une belle solution : « *Let's fuck da niggahs'anus* » ; « *anus* » *rhymed with* « *cunnilingus* », « *fuck* » *with* « *suck* », « *niggah'with'mafia* ».

On voit donc qu'en traduisant Houellebecq on aborde très vite le problème du sexe. Peter m'écrit de New York : « Le sexe est déjà assez difficile dans sa propre langue ! » Certes, « ON PRÉFÈRE LES PAR-TOUZEUSES PALESTINIENNES » devient facilement « *We prefer the Palestinian orgy sluts* », et « LES ÉCHAN-GISTES DE L'AUTOROUTE » « *Motorway Swingers* ». Mais « BROUTE-MOI LA BANDE DE GAZA *(mon gros colon juif)* » dresse plus d'obstacles. Dans ce cas-ci, on est condamné à perdre les connotations risquées de « bande » et de « colon ». Quant à « brouter », ce pro-blème me tourmente pendant que je fixe du regard le frigo à un barbecue chez des amis. Tout d'un coup, une amie assez vulgaire du nord de l'Angleterre lance à un des hôtes homosexuels : « *Nibbling on a sausage are you ?* » C'est une épiphanie. J'explique mon tour-ment traductologique à Sarah, qui m'explique les nuances de « *munch* » et de « *graze* » dans la terminolo-gie du sexe oral. Ainsi éclairé, j'opte pour : « *Munch on my Gaza Strip (my huge Jewish settler)*. » N'oublions pas le grand défi de « fesses », un mot fréquent dans le vocabulaire houellebecquien. *Buttocks, bums, bottoms,* même *arse-cheeks* selon un collègue, linguiste lui aussi... Souvent l'équivalent anglais est peu érotique. J'opte le plus souvent pour « *ass* ».

Heureusement, il n'y a pas que le sexe à traduire. Il y a d'autres allusions culturelles qui exigent « l'exégèse » : l'animateur de télé Marc Fogiel, le philosophe Michel Onfray. Il y a aussi les beurettes et le 9-3 : « Les actrices étaient des beurettes authentiques, garanties neuf-trois — salopes mais voilées, le genre » devient « *The actresses were authentic Arab immigrant girls, guaranteed to originate from the hardest Parisian suburbs — sluts but veiled, just the right type* ». Sans oublier le culturellement intraduisible. « Au-delà du sujet bateau de la pédophilie (et même *Petit Bateau,* ha, ha, ha, c'est comme ça que je m'exprimais à l'époque dans les interviews). » *Petit Bateau,* inventeur français de la petite culotte pour enfants, n'existe pas chez nous. Certes, je traîne au milieu des rayons pour enfants dans les magasins de vêtements à Dundee, mais la peur de passer de longues années dans la prison de Perth me fait vite renoncer.

Pendant cette course contre la montre je suis en contact quotidien avec Helen. Il y a parfois des moments où nous ne sommes pas d'accord. Ainsi, Helen aimerait traduire flic par *plod* et fesses par *arse.* Je lui écris : « *Plod* est, à mon sens, trop anglais, anachronique et comique pour un personnage aussi dynamique et dur que Jérôme. *Cop* est plus compréhensible et traverse les frontières et les océans. Il s'agit d'une traduction mondiale ! De même, j'ai remplacé *arse* par *ass*. » Autre exemple de traduction transatlantique : le manuscrit doit être relu et corrigé pour l'édition américaine, publiée par Knopf. À la fin de sa lettre, le *copy-editor* new-yorkais écrit : « *No wankers* (mot britannique pour « branleur ») *here !* » *Jerk* prend donc sa place outre-Atlantique.

La production et la promotion d'un livre prennent beaucoup de temps. Il n'y aura donc pas eu de publication simultanée — même si nos éternels ennemis, les Allemands, réussissent à sortir leur traduction à temps. Il reste les critiques de cette traduction. Le *Sunday Times* a jugé mon effort « trop littéral ». Pour Emily Bickerton, dans *Times Literary Supplement*, j'ai été d'une « insensibilité choquante » au langage de Houellebecq. Mais dans *The Irish Times*, Michael Cronin, professeur de traductologie, vient à ma rescousse : « Traduire la prose de Houellebecq n'est pas une tâche facile. Mais il s'avère à même de cette tâche, et si les lecteurs anglophones de Houellebecq n'aiment pas le message, Bowd est un messager sans fautes. » La traduction reçoit un compte rendu élogieux dans le *Taipei Times*. En outre, un extrait est publié dans l'édition américaine de *Playboy*. On ne peut pas se branler sur une mauvaise traduction !

— Enfin, j'ai trouvé un bon traducteur anglais, confie Michel, en larmes, sur YouTube.

Sa dédicace de *La Possibilité* : « À mon meilleur traducteur dans la langue de Donald Duck. »

La traduction paraît à la fin d'octobre, lors du colloque d'Édimbourg, après une semaine d'interviews avec la presse. Malgré le succès critique et commercial de ce roman — pour moi, son meilleur —, Michel est assez sombre :

— Oui, je disparaîtrai bientôt. Après ce dernier roman, ma vie est foutue.

Mais il est impressionné par la capitale écossaise, une ville « lovecraftienne », au pays natal de la moult regrettée néo-brebis Dolly — « Au moins elle a donné la vie... ».

Le colloque se déroule donc en présence de l'objet d'étude lui-même qui, assis au premier rang, écoute chaque intervenant avec attention et courtoisie avant d'ajouter ses propres réflexions : « *Very clear and precise* », dit-il à une négresse de Harvard. Pour un homme qui ne cache pas son dédain des « théories à la con » des princes et princesses d'un post-structuralisme français qui a tant envoûté les campus anglo-saxons, cela fait plaisir de démontrer que l'auteur (malgré l'absorption d'un stupéfiant mélange de tabac et de single malt) n'est pas mort.

Nous sommes donc une cinquantaine de délégués, venus des « quatre coins » du monde occidental (quinze nationalités au total) pour décortiquer et débattre du monde de Houellebecq. Sur la mezzanine de la bibliothèque, les participants tendent par leur tranche d'âge vers la catégorie des « jeunes » ; le grand nombre de femmes met en question la sempiternelle accusation de « misogynie » contre Houellebecq ou révèle une certaine fascination pour ses « saletés ». Dans l'assistance se trouvent une équipe de télévision de la BBC, en quête de déclarations croustillantes et de signes transmissibles d'extrême ébriété, en même temps que des journalistes « clandestins » (AFP, *Libération*, *Le Canard enchaîné*) guettant également tout dérapage verbal ou physique qui foutrait en l'air (une fois de plus) les chances d'un Goncourt houellebecquien. Les chasseurs de sensations sont déçus, Houellebecq leur ayant lancé un « Je refuse de vous parler ».

L'ambiance reste, dans l'ensemble, bon enfant. La « soirée houellebecquienne » du vendredi, qui avait suscité tant de spéculations dans les médias et parmi les participants, s'avère pauvre en masseuses thaïes et kamikazes islamistes. Malgré la profusion discursive de bites, cons, seins et touffes, l'événement est curieusement asexué : les universitaires seraient-ils déjà néohumains ?... Le colloque a attiré le rédacteur d'un magazine « pour gars », *Arena Homme +*, mais notre visiteur cockney ne réussit pas à coucher avec une seule déléguée et doit se consoler, de manière classiquement houellebecquienne, au Burke and Hare Lapdance Bar, dans le fameux « triangle pubique » de Tollcross. L'objet d'étude disparaît une seule fois dans les torves venelles d'Édimbourg, accompagné d'une jolie blonde hollandaise, à la recherche d'un blouson Barbour pour compléter sa panoplie de « Zarathoustra des classes moyennes », mais, en bon invité, il rejoint le colloque avant le début de la séance suivante. Il est content et, au dîner de clôture au Jolly Ristorante, il se lève pour déclarer :

— Mes rapports avec les médias seront très différents après vos fines analyses.

Le jeudi suivant, le jury de l'Académie Goncourt confère son prix à François Weyergans. Ainsi va le monde de l'esprit.

L'heure de gloire serait-elle arrivée ? Je suis interviewé longuement par le journaliste de *Libé*, qui conclut : « Gavin Bowd rayonnait de bonheur. Lorsqu'il avait adhéré à quatorze ans aux Jeunesses communistes écossaises, sa mère en avait pleuré. Aujourd'hui, il donne à l'auteur français le plus controversé sa première tribune universitaire. Rédemption. »

— Je crois que Michel regarde vers toi, me dit Justine, admirative.

Née d'une mère assez « chaude » dans les années soixante-dix, elle porte le prénom de l'anti-héroïne du marquis de Sade. Inévitablement, elle est issue d'une famille de collabos. Aristocrate, elle a une peur ancestrale des fenêtres à guillotine. Au lycée Henri-IV, elle est dans la même promotion qu'une certaine Mazarine Pingeot.

— Chaque matin une voiture s'arrêtait au Panthéon. Un homme en descendait et prenait dans le coffre un vélo sur lequel Mazarine faisait les derniers cent mètres jusqu'à l'entrée du lycée, comme une lycéenne lambda. Tout le monde savait qu'elle était la fille naturelle du Président, mais personne n'osait le dire.

Justine finira par me larguer pour un comte quelconque : elle sera le dernier amour de ma vie.

Il faut passer à l'étape suivante : l'adaptation cinématographique du roman. Michel a fait des études d'agronomie, mais il a également passé du temps à l'École Louis-Lumière. Il a donc une ambition dévorante de cinéaste. Force est de constater que, dans son œuvre littéraire, le cinéma est associé à l'échec. D'abord dans « L'amour, l'amour » :

Dans un ciné porno, des retraités poussifs
Contemplaient, sans y croire,
Les ébats mal filmés de deux couples lascifs ;
Il n'y avait pas d'histoire.

Dans *Les Particules élémentaires*, le père de Michel ne suit pas, malgré ses talents, une carrière de cinéaste ; plutôt, pendant le tournage sur les bouddhistes de Tibet, il disparaît, anticipant ainsi le destin de son fils. Pour Bruno, le cinéma est associé à l'humiliation et la honte : d'abord à une projection de *Nosferatu le vampire* où Caroline Yessayan repousse ses avances ; ensuite au ciné porno Le Latin, qui le rend douloureusement conscient de ses déficiences sexuelles.

Dans *Plateforme* pointe une certaine ambition de cinéaste : les scénarios imaginés par le narrateur — le film porno d'aventures *Le Salon de massage*, puis *Les seniors se déchaînent* — anticipent la création du réseau des Eldorador Aphrodite. Mais dans *La Possibilité d'une île*, le comique à succès Daniel1 a du mal à se recycler dans le cinéma : *Le Déficit de la Sécurité sociale* est un projet qui n'aboutit pas ; *Deux mouches plus tard* est un insuccès critique ; *Les Échangistes de l'autoroute*, mélange alléchant de porno et d'ultraviolence, n'atteint pas l'audience ciblée. Daniel1 se trouvera définitivement abandonné par une Esther qui a trouvé sa gloire sur l'écran.

De tels ratages littéraires trouvent leur contrepartie dans la biographie de Michel Houellebecq. De sa période à Louis-Lumière il ne reste que deux courts-métrages auxquels il a participé : *Les Gauchers*, où un homme droitier refuse d'imiter ses collègues gauchers, puis *Déséquilibres*, où une jeune femme en fauteuil roulant rencontre l'homme qui l'a jetée d'un pont — ici on trouve déjà une perversité réactionnaire et une morbidité que ses écrits nous rendront familières.

Certes, l'adaptation par Philippe Harel d'*Extension du domaine de la lutte*, dont Houellebecq a coécrit le scénario, peut être considérée comme un succès. Le court-métrage *La Rivière*, diffusé par Canal, illustre l'utopie houellebecquienne : des randonneuses nues dans le paysage « féminin » de la Dordogne, parcourant eaux, arches ferroviaires délaissées et avenues d'arbres sous lesquels sont enterrés les derniers hommes. Mais le succès critique et commercial des livres de Houellebecq ne semble pas assurer celui de ses ambitions de septième art. Le tournage de l'adaptation française des *Particules* — avec Harel dans le rôle de Michel, José Garcia dans celui de Bruno et Victoria Abril dans celui de Christiane — s'arrête faute de moyens. Entre-temps, Houellebecq collabore avec Emmanuèle Bernheim et moi sur une adaptation de *Plateforme*. Je contribuerai au concours de Miss Bikini et à des dialogues scabreux d'homme d'affaires qui ne satisferont pas totalement Michel :

— Pourrais-tu me remettre une petite couche d'ordures ?

J'exécute.

Holidays sera avorté. Le réalisateur anglais Michael Winterbottom, qui s'est vu refuser *Plateforme*, fera à sa place *9 Songs*. Mais au printemps 2004, le transfert de Houellebecq de Flammarion au groupe Lagardère semble enfin offrir à l'auteur la possibilité d'un long-métrage. Mais les choses ne se déroulent pas comme prévu. Lagardère ne tient pas sa promesse et se voit traité de « petit con » par Houellebecq dans son blog. L'argentier rechigne à financer le film d'un néophyte, qui exige de surcroît un important budget d'effets spéciaux, et dont le roman, bien que best-seller, n'a pas rapporté autant qu'espéré. La traversée du désert continue donc, jusqu'à ce qu'Éric Altmayer, producteur de *Highlander III, Les Mille Merveilles de l'univers* et *Brice de Nice,* vienne à la rescousse.

Le script de *La Possibilité d'une île* reprend des fragments de *Holidays* — notamment le Miss Bikini Contest et le personnage de Rudi, le policier belge — et il est loin de reproduire dans sa totalité le roman de ce titre. Tourné à Lanzarote, en Andalousie, dans l'enfer touristique qu'est Benidorm, les studios d'Alicante et un hangar d'Albacete, le film nous plonge dans un monde houellebecquien où Pasolini aurait peut-être du mal à se reconnaître : randonneurs bavarois, curés anglicans en civil, étranges cocktails ; dommage, je n'ai pas trouvé de texte de Pasolini sur le clonage. Mais j'imagine que l'auteur de *Théorème* apprécierait les paysages désertiques que traverse Benoît Magimel en compagnie de son chien Fox, et l'angoisse des quinquagénaires adipeux qui ne peuvent que regarder la chair fraîche qui s'étale au bord de la piscine de l'hôtel Bali. Il comprendrait leur désir d'immortalité et les préoccupations spirituelles du premier film de Houellebecq : car Isabelle et Esther sont absentes du script — scandale des scandales —, aucun ébat sexuel n'est représenté, et Daniel1 s'est transformé en Vincent le prophète. Il ne reste que l'histoire de la secte, le magnifique épilogue, et donc le rêve de la fusion.

En février 2006, Michel m'écrit :

— L'idée m'est venue que je pourrais te proposer de traduire le scénario de film extrait de *La Possibilité d'une île.* Tu aurais donc la joie de t'affronter à nouveau à la sublime scène dite de « l'élection de Miss Bikini » (décidément, un moment clef de la création contemporaine).

Je me remets au travail. Il répond ainsi à « Shakespeare dans la nuit écossaise » :

— Eh bien, ce n'est pas mal du tout, mais il faudrait ajouter quelque chose au discours de l'animateur concernant Francesca de Rimini, il est si bien lancé, ça serait dommage (et pourquoi pas continuer à mouiller Dieu dans l'affaire de la création des courbes)...

Suivra un dialogue surréaliste entre pasteurs anglicans « en civil ». Mon patron est plus ou moins content :

— Moi, je trouve que tu as été plutôt rapide, comme de coutume, et je t'en remercie. En ce moment je ne peux pas imprimer, ce n'est pas pratique. Je me réserve donc un petit temps de réflexion pour savoir si l'on prolonge, ou non, le dialogue entre anglicans. Par ailleurs, j'aurai quelques retouches à faire, très minimes. Ensuite, tu pourras envoyer le produit fini à Éric. Tes revendications gagneraient à être exprimées dans une devise plus courante. La livre sterling ? Pourquoi pas le dollar panaméen ? *God save the Queen* quand même.

J'ai la surprise agréable de découvrir que j'aurai un rôle dans le film, comme « footballeur anglais ». En jonglant avec un ballon, « il a l'air paradoxalement heureux ». J'achète donc un maillot de foot et un ballon en plastique et vais m'entraîner dans le parc municipal d'à côté. Ces premiers efforts aggravent une attaque de goutte.

Mais je m'en remets à temps pour prendre l'avion d'Alicante. Le coproducteur, Philippe Delest, m'a promis « une semaine de rêve » dans l'hôtel Bali de Benidorm. Dès le départ d'Édimbourg, à l'aube, je suis déjà en train de siffler des bouteilles de vin en compagnie d'une centaine de prolos calédoniens partis pour *sun, sea and (perhaps) sex*. À l'aérogare, je suis accueilli par un chauffeur en uniforme. Pendant que notre limousine noire glisse vers Benidorm, il met Julio Iglesias. Voici la vie d'une vedette, me dis-je.

À l'hôtel Bali, « le plus haut immeuble d'Espagne », je dépose mes affaires. Le ciel est vide de nuages. En bon Britannique je sors illico et me dépêche vers la plage. J'en reviens rouge comme une tomate. Suivront cinq jours de tournage et d'attente : « *Silencio, por favor !*... Coupez ! » Michel avale son San Miguel et dirige, conseillé par Hubert.

— Quand on est comédien, il faut d'abord une bonne chaise, me confie Serge Larivière (Rudi).

Je regarde, fasciné, ce processus de création, en buvant des cubas libres servis par deux jolies Roumaines, Irina et Veronika. Je commence à me rendre compte que, malgré le cordon en plastique séparant la scène du reste de l'hôtel, il est extrêmement difficile de distinguer les comédiens (habillés en touristes) des autres clients de l'hôtel. Bien entendu, ce cordon encourage une des activités principales des touristes britanniques : râler. Et mon maillot de Manchester United ne fait pas l'unanimité sur les balcons : « Chelsea ! Rangers ! » On est frappé par la laideur humaine étalée des deux côtés du cordon sanitaire, parfois interrompue par une famille suédoise ou par Benoît Magimel quand il descend de son appartement de grand standing.

Je trouve la star de *La Pianiste*, ce blond ténébreux aux yeux de glace, plutôt intimidant, même s'il m'invite à manger au buffet avec le reste de l'équipe :

— Viens, c'est ainsi que ça se fait dans le cinéma.

Julia Encke, correspondante culturelle du *Frankfurter Allgemeine Zeitung*, est plutôt déçue par le bide de la star de *La vie est un long fleuve tranquille*. Elle est aussi un tantinet déroutée par le scénario du film :

— Je n'y comprends rien ! *Nichts verstehen* !

En regardant ma prestation de footballeur anglais, elle observe :

— La tête de cet « homme paradoxalement heureux » — « *Ein auf widersprüchliche Weise glücklicher Mann* » — est aussi rouge que son maillot de Manchester United.

Benoît n'est évidemment pas impressionné par mes talents de comédien, ni par le script. Pendant que je jongle vers Fernando Arrabal (l'Empereur), la star de *L'Ennemi intime* marmonne :

— Mais ce footballeur est hallucinant !

« Coupez ! » Enfin, on peut fuir Benidorm et

se fuir, soulagés. Mais je reste fier du Miss Bikini Contest. Dans l'ascenseur, Éric Altmayer me rassure :

— C'est la séquence culte d'un film culte !

Je me dis : il est donc résigné à un échec. Effectivement, il n'y aura pas d'avant-première à Cannes, aucune opportunité de lamper le champagne ni de monter les marches avec ma co-star glamour, Arielle Dombasle. Je suis seul à me trouver au premier rang d'une avant-première pour la presse, dans une petite salle proche des Champs-Élysées.

— C'est lui, l'Écossais, chuchote un journaliste à son confrère.

Puis ils regardent avec un étonnement croissant la création du cinéaste Houellebecq. Ce sera, comme on dit, *un échec critique retentissant*. Dans *Les Cahiers du cinéma*, un héritier de François Truffaut écrira : « Voici un film qui ne devrait pas exister. » En descendant vers la place de la Concorde ; je me dirai : ce film vaut mieux que ceux qui n'existent pas. Autre consolation : la lecture de ma traduction du roman, dans l'hôtel de Proust à Cabourg, inspire Iggy Pop, qui consacre son album *Préliminaires* à *La Possibilité d'une île*, et en lit un extrait dans le tube « A Machine for Loving ». Le titre du *Sunday Mail* : « Tête d'œuf écossaise inspire légende punk ». Enfin, la rédemption.

Une nouvelle alliance ?

En 2012, Michel s'est réinstallé en France « sans autre vraie raison qu'une lassitude à parler anglais ». Deux ans plus tard, il me donne rendez-vous au siège de Flammarion. Quand je pénètre dans le bureau de son éditrice, Teresa Cremisi, Michel est en train d'être interviewé par *Le Point* en compagnie de Jean-Louis Aubert. Le chanteur de Téléphone vient de mettre en musique quelques-uns de ses poèmes. Michel me tend son nouveau livre, *Non réconcilié*, publié dans la collection « Poésie » de Gallimard. Encore une consécration. En attendant, je m'installe derrière le bureau de Cremisi. Mes yeux tombent sur une invitation de Jack Lang. J'entends Michel confier au journaliste :

— J'ai enfin accepté le fait que François Hollande soit président.

Une heure plus tard, la secrétaire roumaine apprend à Michel un code loufoque qu'il doit donner au chauffeur de taxi. Sous son regard vigilant, nous partons pour le XIIIe arrondissement. Nous prenons une table à la terrasse d'une brasserie de l'avenue de Choisy. Nous avons décidé tous les deux de commander le foie de veau, cuisson rosé. Les grands esprits se rencontrent. Le repas sera accompagné d'un bon bourgueil.

Je lui suggère de revenir en Écosse, de rencontrer les étudiants (que notre auteur ravit et repousse) et revoir la ville lovecraftienne d'Édimbourg, mais il répond par la négative :

— Le fascisme a triomphé ; j'ai renoncé aux déplacements littéraires. Mais j'ai aussi renoncé aux cafés, aux restaurants, aux cocktails et vernissages... bref, j'ai renoncé à beaucoup de choses. Je n'ai pas renoncé à écrire ; et quand j'écris, je fume encore plus, ça m'est vraiment très nécessaire. Bref, la situation est sans issue.

Heureusement qu'il peut fumer dans cette partie de la brasserie encore épargnée par la bête immonde de l'hygiénisme.

Je lui évoque mes récents ennuis au travail. J'ai dû comparaître devant la directrice des ressources humaines. On m'a accusé de « gros mots, allusions grivoises, et politique communiste dans la salle de classe ». J'aurais « gêné » des étudiantes par mes exemples de traduction de *La Possibilité d'une île*. Cela n'est que le point culminant d'une longue campagne de harcèlement moral. Poussé au bord du suicide, je décide enfin d'écouter mes amis et de prendre un arrêt maladie qui durera six mois. Une vraie trahison à mes racines protestantes.

— J'avais peur que tu ne sois atteint d'une maladie organique grave… Dans certains pays, les gens qui m'étudient font l'objet de critiques de leurs collègues ; dans d'autres, non. Pourquoi ? Ce serait un sujet d'étude en soi.

Il m'offre des conseils sur la survie au travail :

— Ne demande jamais de promotion. Cultive un spécialisme unique et irremplaçable. Un cocktail pastis-tranxène aide aussi. On pourrait tenir des années comme ça.

Puis je commets la bêtise d'évoquer la mort récente de son corgi Clément, qu'il a fait inhumer dans le cimetière des animaux à Asnières. Un torrent de larmes commence à couler.

— *After him my life is shit ! My life is shit !*

Nerveusement, le serveur enlève nos assiettes.

— Je ne m'en remets pas. Clément est irremplaçable. Cette mort m'a affecté plus que la mort d'un être humain.

Il est temps de changer de sujet.

— J'ai une question, dit Michel… Est-ce que l'Écosse va devenir un pays indépendant ?

— C'est une question qui me taraude l'esprit depuis cinq ans, depuis que j'ai commencé à écrire un livre intitulé *Fascist Scotland*. Ici, j'explore un phénomène ultraminoritaire mais significatif : Charles Saroléa, premier professeur de français de l'Université de St. Andrews et partisan de Franco, Graham Seton Hutchison, Ernst Jünger des Highlands, Alexander Ratcliffe, extrémiste presbytérien devenu admirateur d'Adolf Hitler, « le Luther de notre temps », sans parler de Thomas Carlyle, dernière lecture de chevet du Führer dans son bunker en avril 1945. Eh oui, contrairement aux mythes, le fascisme britannique ne se confinait pas à l'East End de Londres. Et quand je mentionne la complaisance et même la complicité des nationalistes écossais à l'égard de la menace fasciste, mon œuvre détonne dans le cyberespace. Un message typique s'intitule « Fils de pute » : « Es-tu un nationaliste déguisé parce que si tu avais un semblant de cerveau tu te rendrais compte que tu aides la cause de l'indépendance avec ton journalisme de caniveau. Connard ! » Des menaces de moins en moins voilées s'accumulent. Gayle, notre attachée de presse, est navrée :

— C'était mon job de lire tous ces commentaires. Toutes les 110 pages !

Elle s'est sentie obligée de contacter le chef de sécurité de l'université, un ancien policier sud-africain. Cette affaire fera la une des journaux écossais, et je ne suis pas le seul à attirer les foudres de la frange décérébrée du camp nationaliste : JK Rowling est traitée de « sorcière », Annie Lennox de « vieille pute » pour leur attachement déclaré à l'Union. Mais le côté sombre, voire sordide, du nationalisme écossais, qui ne fait que confirmer les thèses de *Fascist*

Scotland, n'intéresse pas les médias d'outre-Manche. *Le Monde* offre une page à Keith Dixon, qui explique que le camp nationaliste est progressiste, s'opposant au « néolibéralisme » de Westminster et à la pseudo-opposition « néotravailliste ». Les Écossais seraient plus éclairés, plus généreux, plus égalitaires, plus européens, plus français que ces sales *Sassenachs*[1] des *Home Counties* qui spéculent dans la City et font gonfler une bulle immobilière. *Wha's like us ? Gey few and they're a'deid !* (Qui est comme nous les Écossais ? Très peu de gens, et ils sont tous morts !) On y retrouve le triste refrain du narcissisme nationaliste qui met l'accent sur la différence et la supériorité.

Mais qui m'écouterait ? *Paris Match* s'extasie devant Christian Allard, député indépendantiste français du parlement de Holyrood. Ce fils de Messigny-et-Vantoux pose en « chemise blanche moulante, la jupe plissée anthracite en pure laine ». Des touristes le prennent en photo. Il est ravi. Il aurait « des faux airs de Robert Mitchum ». Ce gourmet serait l'incarnation même de la Vieille Alliance réunissant l'Écosse et la France : « Il adore la panse de brebis farcie mais, pour Noël, il cuisine du bœuf bourguignon. » À l'âge de vingt ans il s'est installé seul dans « un minuscule cabanon austère, dans le pays des lochs aux cinquante nuances de gris et de vert ». Il renonce au pain et au café pour les toasts grillés et le thé. Il découvre aussi

---

1. Terme péjoratif pour désigner les Anglais.

le whisky, les lancers de tronc, de marteau, de pierre, le tir à la corde, la cornemuse, les kilts... et une Écossaise : Jacqueline.

La découverte d'un partenaire sexuel semble mener souvent à un nouveau patriotisme. Je me souviens de mon collègue Dominique, à Limerick, tombé amoureux d'une militante du Sinn Féin et qui dorénavant pouvait inventer toutes sortes d'excuses pour les atrocités commises par l'IRA.

— La queue y est pour quelque chose, hein ? blague mon ami Pierre, diplomate culturel et ancien de la franc-maçonnerie mexicaine.

Christian offre à la journaliste de *Paris Match* un argument bien dixonien en faveur de la « libération » de l'Écosse de l'influence de la Grande-Bretagne :

— Nous voulons une Écosse plus humaine, plus saine, plus proche du modèle scandinave que du modèle néolibéral anglo-saxon.

Aucune question sur comment financer cette *Scando Scotland*, ni sur la future monnaie ou les relations de cette Écosse libre avec Bruxelles. Juste un portrait hagiographique : « *So charming !* » jurent les locaux.

J'aime penser avoir l'esprit ouvert. Je l'invite donc à St. Andrews parler de la « nouvelle alliance » entre la France et une Écosse indépendante. Après tout, les liens entre notre ville et la France sont forts : Marie Stuart, Pierre de Ronsard et George Buchanan, professeur de Montaigne, ont résidé ici, sans parler de l'Ami du peuple. Christian Allard arrive dans une voiture couverte du mot *Yes*. Il a laissé chez lui son kilt, « tradition » inventée par le très unioniste Sir Walter Scott. Il ressemble plutôt à un homme politique lambda.

Mais il semble doux et courtois :

— Cette histoire de menaces contre vous est totalement inacceptable.

Dans le Lower Parliament Hall, il esquisse les grandes lignes d'une nouvelle alliance et raconte ses bons rapports avec l'ambassade de France. Il se prononce en faveur d'un nationalisme « civique » plutôt qu'« ethnique », dont il serait un représentant typique. Mais, dans sa péroraison, on s'approche de l'essence de son idéologie :

— L'Écosse est une des nations les plus anciennes du monde. Elle va retrouver sa gloire perdue. L'indépendance est inéluctable. L'Histoire va dans notre sens !

Le Non l'emporte nettement en septembre 2014, mais le ver en kilt est bien dans le fruit. Des pans entiers de l'électorat populaire du parti travailliste — tout récemment hégémonique en Écosse — se sont détachés pour rejoindre le camp nationaliste, un écho de l'effondrement de la gauche française et son « grand remplacement » par le Front national. Les vieux partis de masse de la gauche européenne sont bien en crise. Cela dit, ce changement ne se confirme que timidement aux élections écossaises de mai 2016 : Nicola Sturgeon est reconduite comme Premier ministre, mais sans majorité absolue. Dans un Aberdeenshire frappé de plein fouet par l'effondrement du prix du baril de pétrole, Christian Allard perd son siège et doit contempler un retour au commerce du haddock. *So charming !*

(N)Ostalgie ?

En avril 2013, mon vol d'Easyjet atterrit à l'aéroport de Schoenefeld, anciennement Berlin-Est. Je prends ma chambre à l'Ibis tout près de la maison Karl-Liebknecht, siège des ex-communistes de la RDA. Je me promène le long de l'Unter den Linden, à la recherche de Frank et de Mikhael, et suis étonné de pouvoir continuer jusqu'à la porte de Brandebourg et au-delà. Dans Kreuzberg, quartier de Simon le soudeur spartaciste, on manifeste contre l'enlèvement des derniers vestiges du Mur. Sur d'autres murs sont collées des affiches pour le nouvel album de David Bowie. « *Where are we ? Where are we now ?* » chante-t-il. Dans la Karl-Marx Allee, je suis frappé par l'omniprésence de filets pour suicidés. Je ne retrouve pas l'hôtel du Comité central, mais je rendrai hommage aux soldats de l'Armée rouge reposant au grand cimetière de Treptower.

Délaissant les bandes barbares de *stag* et *hen parties*, je prends le train pour Wroclaw, anciennement

Breslau, où je dois parler aux étudiants de « Michel Houellebecq et le communisme ». Le lieu est bien choisi : après tout, pendant les années soixante-dix, il y a fait un stage en tant qu'étudiant d'agronomie. Son physique « slave » l'inspirera à choisir Djerzinski comme nom du personnage principal des *Particules élémentaires*. Sous une neige qui ne finit pas de tomber sur l'architecture baroque et féerique de Wroclaw (à l'instar de Varsovie, un grand exploit de reconstruction par les communistes honnis de l'après-guerre), j'explore la mémoire de mon idéal déchu. À l'Université polytechnique, je pense au Congrès des intellectuels pour la paix : Picasso et Aragon, Fadéev traitant Sartre de « hyène dactylographe », Julian Huxley claquant la porte pour protester contre le charlatanisme de Lyssenko.

La belle Helena me présente à la salle. Je rappelle aux jeunes Polonais les origines communistes de Houellebecq. Mais force est de constater que sa position politique deviendra encore plus difficile à lire avec la sortie de *Plateforme*, qui fait l'éloge du tourisme sexuel et fustige l'islam. La vision du socialisme réellement existant à Cuba y est bien terne.

Effectivement, au cours de l'œuvre de Houellebecq, on constate une acceptation graduelle de la *société de marché*. Les nouvelles générations ne portent plus en elles le rêve d'une alternative au libéralisme.

Mais il serait abusif de dire que Houellebecq a renoncé à toute tendresse pour le communisme.

Dans *La Carte et le territoire*, on fait l'éloge de William Morris, artiste, artisan et militant de la fin du XIXᵉ siècle. Cela dit, si dans le futur imaginé de *La Carte et le territoire*, le système libéral connaît une crise terminale, il n'y aura pas de lendemains qui chantent. Cette fois, la solution pour une France menacée par la mondialisation et la désindustrialisation est le tourisme et les produits de luxe. La retraite de Jed Martin et de Houellebecq vers le cœur de la France profonde constitue une sorte de crispation identitaire. Houellebecq a toujours été hostile à la construction européenne aussi bien qu'à l'islamisation, mais maintenant sa position se radicalise. Après tout, il vient de me déclarer son nouvel attachement à Marine Le Pen et son inquiétante intention d'appeler de ses vœux une guerre civile pour éliminer les musulmans de France. Reste à voir si cette évolution dramatique de la position politique de notre cher auteur s'explique seulement par une absorption massive d'absinthe.

Avant de venir à Wroclaw, j'ai demandé à Michel de faire le bilan de ses rapports avec le communisme. Voici sa brève réponse :

« Ça me prendrait trop longtemps, mais voici en résumé ce que je peux dire aux Polonais : grâce à un échange d'étudiants en agronomie, j'ai visité la Pologne avant la chute du communisme. Je suis très heureux d'avoir eu l'occasion de faire ça ; il y aura de moins en moins de gens qui pourront se vanter d'avoir visité un pays communiste. Je ne sais plus qui écrivait : "Quoi qu'on fasse, il y aura de moins en moins de gens à avoir connu Napoléon[1]." Que la paix soit avec toi. »

Un étudiant lève la main :

— Comment pouvez-vous parler du communisme, vous qui ne l'avez jamais connu ?

Je réponds au malin qu'il est trop jeune pour avoir connu la réalité du communisme, trop jeune aussi pour avoir connu le thatchérisme. Je poursuis ma contre-attaque :

— Et que dites-vous sur les sondages qui indiquent que pour la majorité des Polonais adultes l'âge d'or de leur pays fut les années soixante-dix, sous Gierek, ancien mineur du Nord ? Et ceux qui indiquent que plus de 40 % des Roumains voteraient pour Nicolae Ceausescu au premier tour d'une élection présidentielle ?

Helena me calmera.

L'adolescence revient au galop. Je prends le train pour gagner Leipzig. J'y cherche la Bezirksparteischule de juillet 1989. Elle a été transformée en faculté de médecine. Puis c'est Gera, pour rencontrer mon ancienne correspondante est-allemande, Silke. Je lui avais écrit au début des années quatre-vingt-dix. Comme Iris, mon autre correspondante, elle est mère, divorcée et habite la maison de ses parents

---

1. Il s'agit d'Alphonse Allais.

décédés. Comme Iris, nous nous approchons de la cinquantaine.

Mais il y a quelque chose qui cloche. J'arrive à la gare, naturellement à l'heure, mais il n'y a aucun signe de cette Arlésienne de l'ex-RDA. En rentrant, je me rends compte que je me suis trompé de date. Le lendemain, elle me ramène à la maison où elle me présente à ses filles et commence à me raconter son histoire. Elle voulait devenir infirmière, mais sa mère n'est pas revenue de ses vacances en RFA, et le régime l'a punie en lui interdisant d'aller à la fac. Elle est assistante médicale, mais pas trop amère.

Elle m'emmène à Iéna. Autour d'un plat de bœuf braisé et de *Sauerkraut,* nous sortons nos lettres du début des années quatre-vingt. Elle lit ma première, « Une interview avec moi-même » :

— J'ai quinze ans. Je suis haut de 175 centimètres. J'ai les cheveux brun foncé.

Sceptique, elle scrute ma calvitie précoce, les derniers cheveux blancs qui s'accrochent à mon crâne.

À cause de mes lettres de stalinien survolté, Iris avait été convoquée par la Stasi qui voulait utiliser le chantage pour la transformer en indic, ce qu'elle a courageusement refusé. Quant à Silke, un tel scénario était impossible :

— Tu étais tellement politiquement correct. Vraiment dans la ligne !

Mais le passé ne la laisse pas amère :

— La RDA n'était pas oppressive... juste ennuyeuse.

Celle dont l'adresse email est « *rockchick* » a plutôt peur pour son nouveau fiancé, un *Wessie* :

— Il aurait adoré la RDA. Il aime manger, porter et faire la même chose tous les jours.

À la gare de Gera, elle me dit, souriante :

— Tu vois, Gavin. Tout le monde a une deuxième chance !

Je ramène ses paroles à Paris. En visite aux archives du PCF, à Bobigny, je vois qu'on est en train de démolir la cité Karl-Marx. Les bulldozers sont frappés du slogan « Avenir déconstruction ». En me promenant dans cette ancienne capitale de la banlieue rouge, je pense à l'état actuel du Parti et de la Fête de l'Humanité. Certes, la Fête reste un moment agréable. Le menu gastronomique de la fédération de l'Aude reste une épreuve à ne pas manquer, bien que les serveuses volontaires en foulard rouge aient vieilli et grossi en trente ans (comme moi). Jean Ristat a échappé de justesse à la mort dans un accident routier et mène une résurrection des *Lettres françaises* (en ligne), aidé par Franck, un jeune stalinien « qui se prend pour Camille Desmoulins ». Dans les allées je peux croiser la petite et pétillante Clémentine Autain, puis le sympathique Ian Brossat, maire adjoint de Paris dont l'idée géniale est de faire construire un village d'insertion pour Roms dans le XVIe. Mais Jean-Luc Mélenchon n'est qu'une pâle copie de Jojo : trop bourge, trop politicien, trop sectaire, trop grammaticalement correct. Pierre Laurent est dépourvu de charisme et fait le vide autour de lui sur la Grande Scène. On dit que le jeune maire de Dieppe est une vraie promesse, mais ne veut pas quitter son havre. En scrutant mon andouillette explosée dans un bistrot de Saint-Sulpice, Raphaël Sorin plaint la qualité des dirigeants communistes d'aujourd'hui :

— Jacques Duclos et Jeannette Vermeersch faisaient *peur* aux bourgeois. Ils faisaient leur job, quoi. Mais Marie-George Buffet est comme une assistante sociale. Elle te donnerait une piqûre !

Certes, sur la Grande Scène on peut voir Madness et Prodigy, même le chanteur de Supertramp, mais ça sent la désuétude, la nostalgie, l'échec. Bientôt le stand du Venezuela chaviste sera jeté dans la poubelle de l'Histoire. *Nothing but a dreamer !*

Y aurait-il une *Ostalgie* à la française ? Michel Houellebecq semble passer du communisme à l'islamophobie. Dans leurs romans, Bernard Chambaz et Aurélie Filippetti rendent des hommages affectueux à leurs parents rouges, mais il s'agit de tourner la page générationnelle sur fond de mondialisation brutale. Le seul à parler avec passion du communisme français, Éric Zemmour, appartient à la droite musclée. Dans *Le Suicide français*, Marchais est présenté comme un Cassandre gaulliste : c'est lui qui a dénoncé la construction européenne, l'expansion de l'Otan, aussi bien que la menace islamiste, d'abord en Afghanistan puis dans les banlieues de France, désormais transformées en tant de « La Rochelle » musulmanes. Le communisme, que Jules Monnerot avait décrit comme un islam séculier, semble bien loin maintenant, éclipsé par l'original religieux. « Georges Marchais avait raison », affirme un tract du Front national, désormais le premier parti des ouvriers (et des jeunes). Tout comme l'*Ostalgie* qui est, en filigrane, la nostalgie de la RFA autant que celle de la RDA, je me demande : regretterait-on une France disparue à jamais et les conforts présumés de l'immobilité ?

Paris(cide)

À la lisière du jardin du Luxembourg, je trouve une des dernières cabines téléphoniques de la capitale qui ne soient pas occupées par des SDF.

— Tu t'approches donc du lieu de réjouissance ! dit Michel.

Je mets le cap sur le Théâtre de l'Odéon, en face du siège de Flammarion.

C'est par hasard que je me trouve ici, pour la goncourtisation de Houellebecq. Après tout, je suis invité par le CNRS à faire une communication sur Pierre Gourou, « gourou » de la géographie tropicale. Mais des signes indiquent que le destin me ramène à l'auteur de *La Carte et le territoire*, que je suis en train de traduire. La veille, j'ai traversé Londres pour voir mon ancien collègue, le professeur Press. Après un déjeuner bien arrosé dans Soho, j'urine derrière une haie de Red Lion Square, Holborn. Soulagé, j'émerge de la végétation pour remarquer une plaque bleue sur la façade d'une des splendides *townhouses* : « William

Morris habita ici ». Le héros intellectuel de Jed Martin, son père architecte, et du Michel Houellebecq fictif m'interpelle. Je prends l'*underground* pour Walthamstow. En sortant de la station, je vois un panneau qui indique « *William Morris House* », que je me résous à visiter, tout en réfléchissant au hasard objectif. Enfin, le professeur arrive pour me reconduire à la maison. Je lui raconte ces indices troublants.

— Ma femme est une descendante française de William Morris, et nous avons envoyé nos enfants à son ancienne école.

Arrivé à Paris par Eurostar, j'allume la télé : enfin, Michel a reçu le Goncourt. Il ne restera plus que le prix Nobel (ou une Palme d'or ?). Le Théâtre de l'Odéon est noir de monde, et des centaines de téléphones portables font scintiller les lustres. Le champagne coule à flots. Triomphant, Raphaël Sorin félicite ses jeunes protégés :

— Bravo ! C'est vous qui avez fait ceci.

Marc Weitzman boude sur les marges.

— Est-ce que je suis encore banni des *Inrocks* ?

— Mais, Gavin, ça fait longtemps quand même !

Je fais remarquer à Frédéric Beigbeder que je viens de traduire la rencontre au Flore de Jed avec son homologue fictif. Il sourit. Tandis que Philippe Harel me lance un regard qui pourrait être interprété comme un reproche pour ma prestation de footballeur anglais paradoxalement heureux. BHL et Bernard Pivot sont trop loin, trop occupés ; peut-être qu'ils préparent une intervention militaire dans un pays lointain ? Marie Boué, attachée de presse pendant l'affaire *Plateforme*, me saisit le bras.

— Tu sais, dit-elle, nous avons vécu ensemble un moment de l'Histoire ! Nous étions au centre de quelque chose.

Enfin, le lauréat monte sur scène, présenté par son ami Beigbeder. Il fait un speech court et inaudible, avant de replonger dans la foule. Je lui serre la main :

— L'Écossais !

Puis il disparaît. On dit (à tort) qu'il va dîner à l'Élysée avec Sarko et Carla. Raphaël déclare :

— C'est une fille très intelligente, et très perverse. Qu'est-ce qu'elle fait avec un type pareil ?

Le lendemain, à l'Université de Paris I, Marie-Claire est impressionnée :

— Tu as donc passé la soirée avec le gratin de la rive gauche !

— Mais vous êtes le gratin de la géographie française !

En sortant de l'immeuble, je me rends compte que nous sommes aux Olympiades, où habitent Jed Martin et Michel.

Mais Paris n'est pas toujours une fête. Fin 2014, je prends un verre au Carrefour, rue Monsieur-le-Prince, avec Mairi, ancienne étudiante de St. Andrews. Dans ce dernier bar « traditionnel » de Paris, tenu par deux vieilles Aveyronnaises, elle exprime ses états d'âme :

— Je me demande si c'est un effet de la géographie urbaine, les rues étroites, les petits appartements. Cela pourrait expliquer la mauvaise humeur, la *froideur* des Parisiens.

Elle aime son job d'assistante de l'attaché militaire de l'ambassade d'Australie. Mais elle est tiraillée entre cette ville qui la suffoque et une Écosse en plein délire nationaliste.

— C'est frustrant.

Une demoiselle d'Aveyron scrute la nuit qui tombe sur Paris :

— Ça sent la neige.

Comme tout le monde, Michel veut commencer l'année sur de bonnes bases, avec un nouveau roman, *Soumission*, qui paraîtra le 6 janvier 2015. Il s'agira de l'islamisation de France. Je lui envoie mes meilleurs vœux :

— J'ai hâte de lire ton livre, qui va exploser !

J'arrive dans mon bureau et, pour marquer la sortie de cette œuvre potentiellement incendiaire, je colle à la porte un dessin de Cabu pour *Le Canard enchaîné* : des islamistes manifestent devant une « foire à vins ». « Provocation » dit leur banderole ; en bas, le dessinateur a écrit : « Il y en a qui jettent l'huile sur le feu. »

Dans le courrier m'attend un livre d'Amazon. Je me dis que je n'ai rien commandé. J'ouvre le paquet : c'est un exemplaire du Coran, sans note d'accompagnement. Je pense au pauvre traducteur suédois de Salman Rushdie, égorgé à Stockholm. Une demi-heure plus tard, je me connecte sur Internet : la rédaction de *Charlie Hebdo*, y compris Cabu, vient d'être massacrée par des islamistes criant « Allah est grand ». À la une du journal de cette semaine est un dessin scabreux de Michel ; les frères Kouachi ont fatalement interrompu une discussion houleuse sur Houellebecq, l'homme et l'œuvre. J'abandonne le travail et suis les événements dans mon pub préféré, The Central. Comme lors du 11 Septembre, je suis choqué mais pas surpris (heureusement, je viens de découvrir que le Coran a été commandé par Catherine, ma collègue sud-africaine, « pour t'aider dans ta traduction »).

Le lendemain je retourne au bureau pour trouver les panneaux de l'immeuble placardés d'une affiche en noir et blanc : « Nous sommes tous Charlie. » Je me demande : qui sommes-« nous » ? Sommes-nous vraiment Charlie ? Qui est derrière ce totalitarisme émotionnel ? Je ne lisais pas ce journal gauchiste — malgré la présence de Cabu, mon dessinateur préféré, bien supérieur à Plantu — et je ne suis pas tombé sous les balles de Daech. Je pense aux innombrables attentats qui ont précédé cette atrocité spectaculaire partout dans le monde, frappant d'abord des musulmans. Inéluctablement, je me prête au triste jeu du *whataboutery* : *what about* Boko Haram, sommes-nous tous Beyrouth, ou Bagdad, ou Ankara, etc. ? Des étudiants anonymes partagent ce scepticisme. Sous une de ces affiches, quelqu'un a écrit « *I'm not* », un autre : « Pourquoi tant d'émotion seulement quand il s'agit de la mort de Blancs ? » Le 11 janvier, François Hollande a le culot de déclarer Paris « la capitale du monde » : le narcissisme nationaliste récupère tout. Et je demande au président : où étiez-vous pendant les *troubles* irlandais, ou après le massacre de touristes britanniques sur une plage tunisienne ? Moi aussi, je peux jouer la carte patriotique.

On ne peut nier l'émotion soulevée par cet événement, mais cette mobilisation des foules est inégale et pointe des fractures dans la société française. Bien entendu, Marie-Claire participe à la manif monstre :

— *Charlie Hebdo*, c'était l'esprit de 68, c'était Cabu, Wolinski, *Hara-kiri*.

Puis elle admet :

— C'était une manifestation très bourgeoise et... blanche.

Non loin de la basilique des rois de France, dans l'une des dernières grandes villes tenues par le PCF, des lycéens dionysiens ont dit aux journalistes :

— Ils l'ont bien cherché.

J'ai honte d'être peu touché par une image envoyée par Mairi où la jolie rousse affiche sa solidarité au balcon de son appartement.

Michel « se met au vert » (encore une blague sur l'islam ?). Il m'écrit de quelque part :

— J'ai bien peur que ce ne soit que le début de la zone de turbulences.

Désormais, il est sous protection policière. Avant un séminaire sur les attentats du 6 janvier, je lui demande un message que je puisse porter aux étudiants.

— Vivons-nous la fin d'une civilisation ?

— La réponse est oui.

Il faut dire que *Soumission* m'a été une agréable surprise. Sa promesse, en 2013, de déclarations fracassantes sur l'islam et Marine Le Pen ne semble pas tenue. La Fraternité musulmane qui conquiert la France est « modérée » ; heureusement, on peut encore boire et fumer dans ce monde futur, et la polygamie offre une solution alléchante au problème obsessionnel du libéralisme sexuel. Même s'il faut constater que la communauté musulmane y est représentée comme un monolithe dont l'ambition semble être de prendre le pas sur la civilisation occidentale. « Guerre civile » est un leitmotiv, et les phrases concluantes, au temps conditionnel, suggèrent que « François » ne choisira pas la voie de la charia.

En juillet, nous nous retrouvons aux éditions de L'Herne, pour discuter d'un Cahier Houellebecq. L'auteur est sombre, voire cassant, même s'il trouve les gâteaux délicieux. Nous lui suggérons certains noms d'auteurs potentiels. Ces noms ne lui plaisent pas toujours.

À la fin de ce jeu de massacre, il reste du temps pour prendre un verre. Michel me présente à ses deux gardes du corps.

— C'est une triste histoire.

On propose de boire sur la terrasse du bistrot Mazarin.

— C'est comme tu veux, Michel ! dit une de ces joviales machines à tuer.

En montant la rue, je suis fasciné par les mouvements, dignes du ballet, de ces deux petits hommes musclés en T-shirts qui cachent mal de gros flingues. Échangent-ils de position seulement pour admirer la beauté sculpturale d'Agathe, nouvelle reine des études houellebecquiennes ?

Un matin de novembre, ma mère entre dans la cuisine. Ses yeux sont encore plus bouffis que d'habitude.

— C'est affreux ce qui vient de se passer à Paris. Je n'ai pas dormi de la nuit.

Moi, je me suis couché tôt. Nous allumons la télé, et voilà des images en continu d'une capitale frappée de nouveau par la terreur islamiste. Selon la BBC, les terroristes auraient attaqué un « opéra » — pour ces journalistes, diplômés d'Oxbridge, un concert de rock semble inconcevable... La colère monte et les pires soupçons se confirment : de faux réfugiés sont parmi les tueurs, sans parler des fous *de souche*. Après un seul gin tonic, mon père est catégorique :

— Il faut infliger à Daech une telle raclée qu'ils ne montreront pas la tête avant longtemps.

Pour une fois, il a raison.

— Je ne vais pas très bien, dit Michel. Ma protection policière était plutôt flexible jusqu'à présent, là ça s'est durci. Ça tourne à la Salman Rushdie.

Il n'y a pas de répétition de la mobilisation du 11 janvier. Le ciel noir du terrorisme pèse comme un couvercle sur la Ville lumière.

— Je n'ai pas peur, dit une jolie blonde dans un anglais parfait à la BBC.

Je ne suis pas convaincu.

— Je suis venu ici, au Bataclan, parce que les morts étaient jeunes, comme moi.

Je vomis ce nombrilisme jeuniste. Agnès, dont le frère habite tout près du Bataclan — « ses enfants en sont très perturbés » —, n'hésite pas à remarquer :

— Regarde les photos des victimes. Tous beaux et blancs. Des bobos, quoi.

Il est bien difficile de ne pas voir une dimension de classe dans cette radicalisation. Tout comme les villes du nord de l'Angleterre, telles Oldham ou Rotherham, ont produit des *tommies* qui allaient se faire faucher en Flandres, avant de produire des jeunes qui se font exploser dans le *London Underground*, la « zone » du mauvais côté du périph parisien produit les poilus d'une promesse apocalyptique.

Je regarde les hommages laissés place de la République et devant le Bataclan. Un peu honteux, nous badauds prenons tous en photo ces nounours, ces images et ces messages. « Pourquoi ? » a écrit quelqu'un : il faudrait lui donner une petite leçon d'histoire politique et religieuse. Apparemment, l'amour serait « plus fort que la haine » sans être son pendant nécessaire. J'aimerais bien le croire. Puis je me souviens que ces quartiers bohémiens frappés par la barbarie noire étaient une fois les « faubourgs », où les pauvres dressaient des barricades avant d'être massacrés par les forces de l'ordre. 1794, 1832, 1848, 1871. En montant le boulevard Voltaire, je crois marcher sur des milliers de cadavres. Je continuerai jusqu'à Belleville. Il est près de 10 heures du matin et j'ai soif d'un communard.

French House

Dans ma chambre de l'hôtel Tavistock, Fitzrovia, Londres, je zappe sur France 24. À Molenbeek, Bruxelles, la police belge vient d'arrêter Salah Abdeslam, né le 15 septembre 1989, dernier auteur vivant du carnage du 13 novembre. L'« incroyable cavale » de ce Franco-Marocain a pris fin. Il serait même prêt à parler aux enquêteurs. Un quasi-alexandrin entre dans les lettres françaises : « Il a renoncé à se faire exploser. »

Je descends manger un *Full English Breakfast,* puis je quitte ce quartier de St. Pancras pour South Kensington, afin d'observer cette population immigrée qui a fait de Londres la sixième, voire la cinquième, ville française. Ce samedi matin, des enfants traînent avec leurs skateboards et trottinettes devant la Cave à fromages. Plus loin, dans Cromwell Road, des jeannettes et des louveteaux gaulois se rassemblent en face du musée d'Histoire naturelle pour partir à l'aventure. Je passe devant l'Institut français, foyer du *soft power*, et le lycée Charles-de-Gaulle, qui vient de fêter son centenaire. Puis je m'installe Aux Merveilleux, une pâtisserie d'Old Brompton Road. Pendant qu'ils s'affairent avec leurs incroyables, impensables, excentriques, magnifiques et sans-culottes, les jeunes artisans parlent de leurs futures vacances d'août sur la plage. La France est donc bien vivante à South Ken.

J'ouvre mon exemplaire du *Figaro*. « On a envie de crier victoire », fait la une, mais considérant Abdeslam, ce « sinistre individu », l'éditorialiste en conclut qu'il « est urgent de vider tous ces quartiers... qui se révèlent être des repaires de djihadistes au cœur des grandes villes européennes ». Ailleurs dans les pages du journal, on plaint le choix du 19 mars pour commémorer la fin de la guerre d'Algérie : les plaies de cet autre « état d'urgence » ne sont pas encore fermées. Cela va de mal en pis : demain le coq gaulois doit affronter la perfide Albion au Stade de France. Pour Bernard Laporte, « le rugby français va droit dans le mur ». Pour un autre éditorialiste, en Europe, le dynamisme est à l'Est, qui a su faire fructifier les aides de Bruxelles. À notre grand soulagement, Alain Juppé nous assure que la francophonie « représente un avenir commun... le français ne doit pas céder aux sirènes du franglais ».

Je regarde cette clientèle merveilleuse qui raffole de délices : surtout de riches Américains et Arabes sortis des palaces de Queen's Gate. Mais je me trouve dans un des points de concentration de la colonie française de Londres : le bistrot Apéro, l'épicerie Premiers Choix, Maître Choux, Librairie La Page. Ici, nous sommes loin des quartiers hantés par les huguenots ou les exilés de la Commune de Paris. Nous avons affaire précisément aux affaires, à des Français qui ont quitté les *restrictive practices* d'une France décadente pour le paradis néolibéral de la City. Dans sa jeunesse, Manuel Valls avait pris le ferry pour draguer les petites Anglaises. Tout récemment, il a pris l'Eurostar pour draguer Guildhall :

— *My government is pro-business.*

Ripostant au *french-bashing*, le Premier ministre décrit aux capitalistes londoniens une France « en mouvement », son nouveau sérieux budgétaire, ses réformes structurelles, un pays qui va ouvrir ses magasins aux touristes chinois.

Mais il y a encore peu de signes d'un grand retour au pays natal. La courbe du chômage reste aussi présente dans l'esprit de François Hollande que les courbes de Julie Gayet. Je retourne au lycée Charles-de-Gaulle, le plus grand et prestigieux de la capitale. Agnès y enseigne les lettres :

— C'est le pôle d'attraction, trois mille élèves dont beaucoup de mères de famille, qui ne bossent pas, et qui passent leur journée à parler du lycée.

La plupart des pères travaillent dans la finance. Beaucoup de profs sont leurs épouses. Le patriarcat de la France profonde a donc trouvé un microclimat favorable.

Les portes du lycée sont fermées pour les vacances, et non à cause du mouvement contre la loi travail. Certains ados s'y réunissent pour un match de foot. Dans des messages aux parents on annonce une conférence sur le pôle Nord, le réaménagement par les CE1 Q de leur espace en chambre de Van Gogh, et l'installation de la dernière barrière de protection dans la cour. Également accrochées aux grilles des annonces qui cultivent des aspects clefs de la culture française, l'hygiène et l'hypocondrie : « Nous notons la présence de parasites tenaces dans les cheveux de quelques enfants dans les classes de CE2 A et de CE2 D » ; « Je vous remercie de traiter, le plus efficacement possible s'il y a lieu, la tête de votre enfant pour que ne se propage cette gêne pour tous. » Les poux continuent à sévir dans certaines classes, mais il y aura bientôt une soirée cocktail à Kensington Palace, dans The Orangery, animée par le Cosmopolitan String Quartet et les Diamond Boys.

Les Français de Londres ne sont pas tous des garçons ou des filles aux diamants. Certes, Hampstead constitue un autre bastion du French London. Mais à côté des « (euro) City (euro) Stars » on trouve aussi les « oubliés de St. Pancras », les jeunes qui traversent la Manche à la recherche de liberté, égalité et opportunité. Si l'embellie économique du sud-est de l'Angleterre continue, cette méritocratie-sur-Tamise aura donc du mal à céder à la macronicratie-sur-Seine. Je quitte South Ken pour Soho. La Maison Bertaux, fondée par deux communards en 1871, sert encore ses pâtisseries délicieuses, même si les insurgés ont disparu depuis longtemps. Je me trouve dans Greek Street, avec les fantômes de Danton et de deux profs de français invraisemblables, Rimbaud et Verlaine — « LEÇONS DE FRANÇAIS, EN FRANÇAIS. Perfection, finesses ». La quête du dérèglement de tous les sens nous pousse vers la French House. Autour d'un litre de côtes-du-ventoux, Agnès s'exprime sur la vie d'une Française à Londres.

— Les hommes britanniques sont des ados attardés. Ils sont tous alcooliques et ils se couchent avant 20 heures.

Il faut reconnaître qu'elle vient de perdre un *boyfriend* rosbif (bien que végan) qui a emporté avec lui sa chatte chérie, Irma. Et cette fille de postiers du Cotentin ne regrette pas d'avoir traversé la Manche :

— Je suis venue pour un job à Londres, et aussi parce que j'étais punk, et que c'est à Londres que tous les punks peuvent converger. Ce que j'aime, je ne le trouve plus vraiment, c'était ces effets de décalage entre la désuétude et la modernité, et le fait de vivre dans un pays où vous n'êtes pas obligé d'avoir une pièce d'identité, et encore moins de l'avoir sur vous dans la rue.

Mais elle vient d'annoncer sa démission au lycée pour la rentrée. Est-ce que Londres va lui manquer ?

— En fait, rien ne me manque, ni lorsque je suis à Londres, ni ailleurs, j'aime les détours pour trouver les choses qui vont se substituer à ce à quoi je suis attachée. Une des rares choses auxquelles je suis attachée, c'est le thé anglais, *workers'tea*, donc c'est plutôt cela qui va me manquer lorsque je serai en France. Je suis montée à l'envers...

La conversation se tourne vers les attentats de 2015, et l'esthétique sadienne de Daech :

— Mais c'est *gore*. Et cette fille de Saint-Denis dont la tête a volé par la fenêtre, on dit qu'elle aimait les boîtes et la vodka. De la nique au niqab !

Nous regardons les clients qui remplissent cette institution de *theatreland*. Timothy Spall, star de *Turner*, est venu commander un gin tonic. Agnès surveille cette faune de Soho :

— Regarde ces gens : des bobos, des tapettes, tous des Blancs, tous en train de se péter la gueule. Mais on est la cible parfaite !

Suffisamment désaltérée, Agnès rentre à Stoke Newington, dans l'East End. Comme beaucoup de ses compatriotes (et d'autres Londoniens moins nantis), elle recolonise les lieux choisis par ceux qui avaient quitté la France après la révocation de l'édit de Nantes. Moi, je me dirige vers Charlotte Street, là où les anarchistes des années 1880 avaient fondé un Club Autonomie. Celui-ci est un souvenir évanoui. Il y a plutôt le bobo social : « Bobo (*boh-boh*) subst. familier. Bohémien bourgeois — une personne libérale, très bien éduquée, qui combine un mode de vie bourgeois et riche avec des valeurs et des attitudes non conformistes et créatives. » On peut y prendre comme apéro le cocktail maison — Bombay Sapphire gin, champagne, sirop de fleur de sureau, mûre — ou un Porn Star Martini. Ensuite, le chef vous offre un burger Bobo (£ 8.95), Debauchery (£ 20) ou, si l'on est encore plus non conformiste et créatif, l'Experimental Society Burger.

Les sanguinaires de l'Anonymat, société secrète qui avait tellement alimenté les fantasmes de la presse à sensation de la fin du siècle, sont introuvables. Aucune trace non plus de l'« auberge des proscrits » imaginée par Louise Michel, celle qui avait levé à Londres le drapeau noir de l'anarchie. Je me dirige vers St. Pancras et un autre drapeau noir me vient à l'esprit.

Le lendemain, malgré des spasmes de *french flair*, notamment d'un joueur au nom gaulissime, Scott Spedding, l'Angleterre remporte le grand chelem. Vraiment, on va droit dans le mur.

Vers la sortie

Michel nous sert encore du bourgueil.

— J'ai une deuxième question... Est-ce que le Royaume-Uni va quitter l'Union européenne ? ça m'intrigue.

C'est une question à la réponse de plus en plus incertaine. Même Denis MacShane, ancien ministre de l'Europe, commence à envisager le Brexit : « Je n'aime pas être Cassandre, mais Cassandre avait raison ! »

J'ai invité Denis à St. Andrews en mars 2011 pour parler du « Sens de Mitterrand », pour marquer le trentième anniversaire de la victoire de celui que Michel Houellebecq a traité de « momie pétainiste ». Le député travailliste de Rotherham se sent à l'aise dans les cercles socialistes de Paris. Au téléphone de son bureau de la Chambre des Communes, il me dit :

— Hier soir je dînais avec Élisabeth Guigou.

Il fait ensuite référence à sa « jeune et jolie » assistante, tout près de lui. Il s'agit d'Axelle Lemaire, future ministre du Numérique dans le gouvernement Valls.

J'ai l'intention de confronter Denis à son grand ennemi, John Laughland. Depuis 1992, mon ami suit une trajectoire assez troublante. Bien entendu, il reste follement mitterrandophobe et eurosceptique, mais il a continué à tisser des liens qui vont bien au-delà du parti conservateur. Il travaille maintenant à l'Institut de la démocratie et de la coopération, une ONG proche du Kremlin. Effectivement, je vois souvent John sur la chaîne Russia Today, occupé à fustiger l'expansion de l'Otan et les « fascistes antisémites » qui auraient saisi le pouvoir en Ukraine.

Je le retrouve au siège de l'IDC, un hôtel particulier tout près de Matignon. Nous déjeunons à La Coupole. Un Indien en costume nous sert le plat de la maison, un poulet au curry assez fade (les Français fuient le pimenté).

— Aujourd'hui, soupire John, mes seuls amis sont au Parti communiste russe et au Parti socialiste serbe.

Effectivement, il est devenu un défenseur et même un ami de Slobodan Milosevic. Il lui a rendu visite dans la prison de La Haye, jusqu'à sa mort.

— C'était un homme très intelligent et gentil.

— Mais Srebrenica ?

— Des gens meurent tout le temps et partout.

Il relève que les fameuses fosses communes du Kosovo sont introuvables. Pour celui que Margaret Thatcher avait voulu comme secrétaire, Milosevic,

Ceausescu et Honecker sont les victimes de la justice des vainqueurs. Leurs systèmes ne furent pas des échecs. Ce révisionnisme s'accompagne d'une véritable tendresse pour Vladimir Poutine.

— C'est un drôle d'itinéraire, celui de John Laughland, soupire Denis dans le taxi qui nous ramène de l'aéroport.

Poli, je ne mentionne pas le scandale de corruption qui vient d'éclabousser le *Right Honourable Gentleman* sur mon côté gauche (« En France, mes méfaits seraient risibles ! » vient-il de lâcher imprudemment à la presse britannique). Je dis seulement à notre secrétaire qu'il faut regarder de près ses reçus.

Pour des raisons familiales, John ne peut faire le trajet :

— Dis à M. Matyjaszek (le nom du père de MacShane, un Polonais fuyant le nazisme) que nous ne serions même pas d'accord sur le jour où nous sommes : moi, j'observe le calendrier orthodoxe, lui le grégorien.

Je me promène avec Denis dans les ruines de la cathédrale de St. Andrews. Il me raconte ses années d'étudiant :

— Je ne sais pas comment j'ai décroché un diplôme d'Oxford. Je ne connaissais que le sexe et la picole.

Ensuite, il est devenu journaliste spécialisé dans les affaires européennes et dirigeant syndical avant de se lancer dans la politique. Il parle du triomphe imprévu de « Tony » (Blair) au sein du parti travailliste et du caractère plus que difficile de « Gordon » (Brown) : « On peut manger un curry avec lui, mais il n'est vraiment pas rigolo. »

On pénètre dans la salle de conférences.

— J'ai l'impression d'entrer dans une cour d'assises.

Puis il explique à nos étudiants l'énigme de Mitterrand, ce Florentin aux canines limées : le tournant vers la rigueur — « Le socialisme n'est pas ma Bible » — et la construction européenne comme horizon incontournable du siècle qui vient. Je le remercie vivement. Peu après, il est condamné à six mois de prison ferme pour avoir trafiqué des notes de frais. En apprenant le verdict du juge, il déclare, en français : « Quelle surprise ! »

— Ça ne pourrait arriver à un meilleur homme, blague John. Je lui rendrai visite dans la prison de Belmarsh !

Après sa détention au plaisir de Sa Majesté, Denis revient avec un livre au titre choc : *Brexit. Comment la Grande-Bretagne va quitter l'Europe*. Exaspéré, ce soldat de l'européisme attaque les forces économiques et médiatiques qui encouragent la rupture avec le continent : la presse de Rupert Murdoch, les *traders* de la City. Mais ce député tombé en disgrâce distingue bien des causes profondes à l'europhobie : « Quand les référendums sur l'Europe ont été perdus pendant ce siècle, c'est en partie parce que des millions de travailleurs mal payés et de chômeurs ont été persuadés que l'UE favorise les patrons plutôt que les citoyens. »

À cela il faut ajouter l'immigration de masse — notamment de la Pologne — et la crise des migrants. Je reçois dans mon bureau une étudiante, Bonnie. Cette fille de très bonne famille contredit mes pénibles préjugés en annonçant qu'elle vient de passer ses vacances de Noël dans la Jungle de Calais. Elle construisait des tentes, distribuait de la nourriture.

— C'est une véritable ville, avec des rues, des restaurants tenus par chaque nationalité : Afghans, Syriens, Érythréens. Mais la nuit il y a toujours des bagarres entre les différents groupes.

Pour des raisons de sécurité, cette jolie femme doit se couvrir autant que possible, porter des vêtements larges qui cachent sa silhouette de Keira Knightley. Elle veut écrire un exposé sur la représentation de la crise des migrants dans la presse française. Ensuite, elle retournera dans la Jungle. N'est-ce pas que cette masse de migrants pose un problème majeur ?

— Si chaque communauté acceptait un petit nombre de migrants, il n'y aurait plus de problème.

Bonnie incarne la bonté, mais les migrants migrent vers les centres où ils espèrent trouver enfin le bonheur. Et ces marches bibliques à travers la zone Schengen, vers les falaises blanches de Douvres, accentuent chez beaucoup de Britanniques, surtout les plus pauvres et les plus vieux, l'idée que l'UE est une menace pour leur sécurité. Attendons qu'un camionneur britannique soit tué par des clandestins. Entre-temps, le « diable » europhobe fredonne de meilleures mélodies : il faut garder son argent pour soi-même, il faut voter ses propres lois, il faut avoir le contrôle complet de ses frontières. Marine Le Pen approuve cette idée d'un référendum sur le Brexit : elle voudrait même venir nous encourager.

De l'autre côté de la Manche, les « événements » de mai-juin 2016 offrent une triste image du pays. Les grèves, les manifs et les blocages pourraient rappeler à certains la révolte de 68, mais le tableau paraît bien plus sombre. Dans un état d'urgence, les Black Blocs tapent sur la police et les « collabos » du service d'ordre des syndicats. Place de la République, on refuse même d'apprécier la philosophie d'Alain Finkielkraut.

— Il faut briser l'économie ! déclare le porte-parole de la CGT, jadis le fer de lance de « la bataille du charbon ».

Drôle de gauche française qui se trouve maintenant dans le camp des conservateurs, protégeant les « acquis » au lieu de vouloir « changer la vie » comme en 1981, année où je suis tombé amoureux de ce pays. Drôle de gauche laïque, me dis-je, qui s'oppose avec tant d'acharnement au travail dominical.

La déliquescence du PCF m'écœure, mais que dire des écolos en pleine décomposition ? Et tous les discours sur « la mort du communisme » n'arrivent plus à cacher la crise du socialisme français.

— En 2017, le PS va exploser, me prédit Bastien, maire adjoint du XIe.

Anciennement chef de la campagne présidentielle de François Hollande à Paris, il prépare une primaire à gauche avec son camarade frondeur Benoît Hamon. Sans oublier d'autres sujets pressants :

— J'aime beaucoup le malt whisky. Puis j'ai regardé le nombre de calories. C'est ahurissant !

La France est bien un pays divisé.

Pauvres policiers français, caillassés par les manifestants d'extrême gauche, agressés par des hooligans russes déployant leur barbarie orientale, s'ils ne se font pas zigouiller par un illuminé islamiste. On semble oublier les mots de sagesse de Michel Houellebecq : la gendarmerie est un humanisme. Entre-temps, Brigitte Bardot incite les Français à adopter un poulet.

Le 21 juin 2016, je suis de retour à Soho, Londres, pour la parution de mon livre sur le dernier communard, Adrien Lejeune, mort à Novossibirsk en 1942. Mais c'est le Brexit qui concentre les esprits. Un de mes éditeurs, Leo, est assez relax :

— Il s'agit de choisir entre deux néolibéralismes. La campagne a été dure, mais *remain* l'emportera.

Mon autre éditeur, Rosie, membre du Parti ouvrier socialiste, porte un regard différent. En bonne léniniste, elle souhaite « la destruction de l'État britannique », condition préalable d'une révolution anticapitaliste. Un peu penaud, je leur avoue que j'ai voté par correspondance en faveur du Brexit. Après des tergiversations, j'avais pris le côté des prolos.

Puis Jo Cox (jeune députée travailliste) s'est fait assassiner par un cinglé néonazi. Je me sens un peu sale. Mais il faut assumer.

Mon Eurostar quitte St. Pancras pour Paris, où je dois assister au vernissage de l'expo de Michel Houellebecq au Palais de Tokyo.

— Je suis étonné que tu t'absentes du Royaume-Uni quand l'avenir de ton pays est en jeu.

Je dois lui expliquer le concept du vote par correspondance.

Notre compartiment est plein d'Australiens, d'Asiatiques et de Vikings conquérants en maillot de l'équipe d'Islande. À Ebbsfleet, Rio Ferdinand, ancien capitaine d'Angleterre, monte à bord. Le train ralentit, semble hésiter à entrer dans le tunnel, avant d'entamer une traversée qui n'est plus annoncée en fanfare depuis longtemps. Nous retrouvons la côte française : miradors et barbelés ; heureusement, cette fois il n'y a pas de « migrants sur les voies ». Traversée ensuite de ce plat pays : terrils abandonnés et boisés ; un panneau de RN indiquant Hénin-Beaumont. Le magazine d'Eurostar recommande une visite à l'expo de Michel : « La controverse sera sans doute au rendez-vous. » Je regarde le reste du paysage défiler à travers le reflet d'une adolescente.

Je retrouve mon QG parisien, l'hôtel Alléty (une étoile), au fond d'une ruelle en face de la porte Saint-Denis.

— Vous nous avez apporté le soleil, monsieur Bowd, blague le réceptionniste.

Puis il change de sujet :

— Mais qu'est-ce qu'ils nous font chier avec leurs grèves !

Effectivement, le pouvoir a « cédé à la rue » en autorisant encore une manif contre la loi travail.

Loin d'être controversé, *Rester vivant* met en exergue la passion de Houellebecq pour l'audiovisuel et sa sensibilité aiguë aux paysages modernes et archaïques. Héroïquement, le film de *La Possibilité* reste une référence. Un fumoir sert de bras d'honneur au totalitarisme anti-tabagiste, et, dans la dernière salle, consacrée à feu Clément, « A Machine for Loving » d'Iggy Pop passe en boucle. Malheureusement, et comme d'habitude, mon nom n'est pas épelé correctement.

Le jour du référendum, je mets le cap sur Angers, « la première ville de France où il fait bon vivre ». À la gare m'attend Gordon, directeur d'un festival littéraire bilingue à Saint-Clémentin, village perdu dans le bocage des Deux-Sèvres. Nous traversons ce paysage plat et presque désert depuis les guerres de Vendée, écoutant les commentaires de ce septuagénaire, professeur retraité, qui s'est installé, comme tant d'*expats* britanniques, dans ce qui pourrait être leur idylle rurale à la française.

— Le vin est bon ici, mais sur le plan culturel, c'est au point mort.

Avec ses compatriotes, il essaie d'animer ce coin d'Anjou, mais le soutien financier manque.

— Chaque année, nous demandons une subvention à Ségolène Royal, mais nous recevons toujours la même lettre en mauvaise grammaire (anglaise). Elle veut que l'argent soit donné aux « jeunes ».

Les Français souffriraient d'un « esprit de fonctionnaire » :

— Ils veulent toujours la même chose, chaque année. Toujours une soirée pineau-escargots !

Et pourtant le soleil brille.

Le village est envahi par une centaine d'*ex-pats* pour le vernissage du LittFest. Tous des retraités aux cheveux blancs, tous des talents artistiques à enfin découvrir. Tous des partisans de l'UE aussi.

— Vous êtes donc un *stayer* ? me demande Roisin, journaliste de la BBC devenue auteur de polars.

— C'est une question très délicate…

Dans son speech, la maire de la commune (divers droite) salue ce « moment fort » de l'année :

— Que la fête se déroule dans un esprit *européen* !

Applaudissements.

Mais ce soir-là, le vin d'Anjou délie les langues. Bien sûr, on plaint le faible accès à Internet dans les villages avoisinants, mais on craint surtout les sondages sur le Brexit. Il sera difficile de dormir. À l'extérieur de notre gîte, les croassements des grenouilles saturent l'air nocturne.

Le lendemain matin, je descends à la cuisine, curieux

de connaître le résultat. L'ambiance est sombre. Une panique sourde semble s'emparer de mes hôtes. Pour aggraver le malaise, l'accès à Internet dans le village s'est interrompu à 1 heure du matin. Pour s'informer davantage sur le carnage électoral, Sally et John communiquent par smartphone avec leur fils, correspondant de Reuters à Séoul, Corée du Sud.

— C'est le Brexit.

Les classes populaires et les *shires* cossus se sont alliés pour donner une raclée à presque toute la classe politique. Les craintes de Denis MacShane se réalisent : dans son ancienne circonscription de Rotherham, c'est 70-30 pour le *out*.

Personne n'a plus d'appétit pour le muesli et les crackers bio :

— *This is a total disaster !* s'exclame Jenny.

Ces retraités « libéraux » des professions libérales chassent rapidement leurs belles paroles. Une réalité plus matérielle surgit : l'avenir de leur assurance maladie, la valeur de leurs pensions après l'effondrement de la livre sterling, la valeur de leurs propriétés vendéennes, devenues invendables.

— Je veux seulement qu'on me donne une retraite paisible ! crie David. *The times they are a changin'.*

Paul, ex-policier, martèle :

— L'Angleterre va avoir ce qu'elle mérite !

Je distingue à travers la façade de l'européisme, avec son blabla sur l'harmonie et la paix entre les peuples, des traits qu'on retrouve chez tant d'euro-

philes : la haine de soi et le mépris de la démocratie, mépris surtout des ploucs qui ont entraîné ces
bourges dans l'abîme.

— Vous avez tant de chance d'être un Écossais
(qui viennent de voter 60-40 en faveur de *remain*).

Je ne dis rien.

— La plupart d'entre nous n'ont pas la citoyen-
neté française !

Autour de cette table, dans cette ferme superbe-
ment restaurée, je témoigne de l'effondrement d'une
idylle. Je pense aussi à l'Algérie de 1962, et à un certain jour de novembre 1989.

But the show must go on ! Jocelyn, femme de Gordon, declare à qui l'entend :

— Le Brexit démontre pourquoi on a besoin de
cet événement. Il faut rééduquer les gens. Il faut les
rendre plus humains, moins xénophobes et vénaux !

Dans la salle des fêtes, une exposition de photos — « Pégase flotte sur Niort », « Sompt : manège
hydraulique à traction animale » — et un concours
de haïku, où on trouve cet exemple houellebecquien :

Un léger redoux —
Le marchand de surgelés
Se frotte les mains

Pourtant, on ne peut échapper aux nouvelles
catastrophiques venues d'outre-Manche.

— J'ai pleuré en regardant mon iPhone, m'informe Wendy, ancienne prof de danse de l'est de Londres.

Dans sa rencontre-lecture, « Poèmes d'amour et d'Italie », elle s'efforce de transcender la tragédie de ces rosbifs planqués à jamais dans le bocage.

— Notre monde est trop brutal. Je préfère fréquenter les morts, car leur monde est un monde de grâce.

Une octogénaire soupire en extase.

Dans le square gambadent des *Morris Men* venus du nord d'Angleterre (qui a voté massivement pour le Brexit). Ils étonnent les curieux avec leurs danses de sabre païennes.

— Le soleil est perdu et retrouvé. Un homme est dépecé puis reconstitué. Ainsi nous performons la résurrection.

Et l'accordéon recommence. Résurrection de quoi ? me dis-je. De l'Europe ? Je regarde l'assistance : les Anglais d'un côté, les rares Français de l'autre. Les jeunes Italiens et Espagnols, venus grâce aux fonds européens, restent dans leur coin. L'Europe des nations s'immobilise sous un ciel de plomb. Je regarde les T-shirts des jeunes, bleu pâle et frappés du symbole de l'UE. Bienvenue dans le monde de l'euronostalgie ! J'aurais dû mettre dans ma valise mon T-shirt Gorbatchev, acheté en 1988.

Peut-être que la séance de tambours chamaniques pourrait nous soulager. La professeur Pamela nous explique :

— Le monde va trop vite. Il faut entrer en contact avec son animal-guide et avec la mère-terre. Il faut activer le troisième œil.

Nous battons donc sur nos tambours et crions des *heila-heila* amérindiens. Nous tenant la main, nous imaginons « l'amour », puis nous imaginons « la sécurité ». Amour. Sécurité. Des raisons pour le Brexit ?

Mais ce soir-là, au pot d'amitié, Mme le maire me confie que, depuis la perfidie de ce jeudi noir, il n'y aura plus de LittFest à Saint-Clémentin.

Cela dit, Michel Houellebecq est très content :

— Les Anglais ont remonté dans mon estime.

De retour dans la Ville lumière, je profite des soldes d'été à Monoprix avant de passer à Radio Notre-Dame (« la vie prend du sens ») parler de la réception anglo-saxonne de Houellebecq. Le journaliste, Philippe, catho de gauche et anciennement du *Matin*, me félicite du Brexit :

— Enfin, les vraies gens ont parlé !

Il est impressionné par le fait que je ne possède pas de portable.

— Vous êtes comme les jésuites et les franciscains. On communique avec eux seulement par email. Ils sont jaloux de leur silence.

On air, nous abordons notre poète souverainiste.

— Il clive, non ?

— Il aime les clivages.

Ensuite, déjeuner à la Laiterie Sainte-Clotilde avec John Laughland. John arbore un large sourire qui risque de ne jamais s'effacer. Le rêve de Brexit qu'il caresse depuis les années quatre-vingt s'est enfin réalisé. Je lui dis qu'en quittant l'hôtel ce matin, j'ai eu la vision de Marion Maréchal-Le Pen déclarant à la télé :

— Oui, je suis pour la destruction de l'Union européenne.

John perd la tête :

— Je la connais bien. Elle est très fine, très belle et si intelligente, bien supérieure à Marine, que je trouve trop cassante.

Tout près de Matignon, un consensus entre mecs s'installe : la Jeanne d'Arc du Vaucluse est canon ; Najat peut se rhabiller.

Le foie gras arrive, accompagné d'une bonne bouteille de syrah de l'Ardèche. John se moque de la panique sur les marchés financiers :

— Dans une situation de crise on se rue toujours sur le dollar. L'euro est en baisse aussi.

Il est ravi de recevoir des dizaines de textos de Français se félicitant du courage du peuple britannique. Mais il doit se pincer pour y croire. Dave Cameron a été un Premier ministre pyromane :

— Je l'ai croisé à Brasenose College, Oxford. Il avait assez de calibre pour être accepté dans notre club, l'Octagon. Mais rien de plus. Il n'était pas obligé d'offrir un référendum sur l'indépendance écossaise, sans parler du Brexit.

Mais les jeux sont faits, et Dave devra prendre ses cliques et ses claques.

Suivra le porc grillé « Jackie Chan ». J'évoque ma rencontre avec les *losers* europhiles des Deux-Sèvres. Lui se rappelle les « insupportables crétins » qu'il a rencontrés en Dordogne. Puis il fustige ceux qui prennent l'Union européenne pour une garante de la paix sur le continent.

— Au congrès de La Haye, en 1946, Winston Churchill a proposé la création d'une union des pays européens. Mais les fédérastes menés par Robert Schuman ont détourné ce projet pacifique pour le transformer en machine de guerre dirigée contre le bloc communiste.

Heureusement que cette dictature néolibérale commence à se détricoter.

Les clafoutis sont avalés. John doit passer à Radio Courtoisie « pour la quatrième fois de la semaine — il me faut une carte de fidélité ». Un tantinet éméchés, et drôlement heureux, nous nous dirigeons vers la sortie.

Paris, le 28 juin 2016.

Table

Achevé d'imprimer
sur Roto-Page
par l'Imprimerie Floch à Mayenne
en août 2016.
Dépôt légal : septembre 2016.
Numéro d'imprimeur : 90004.

ISBN : 978-2-84990-460-2 / Imprimé en France.